#연산반복학습
#생활속계산
#문장읽고계산식세우기
#학원에서검증된문제집

수학리더
연산

Chunjae
Makes
Chunjae

▼

기획총괄   박금옥
편집개발   지유경, 정소현, 조선영, 최윤석
디자인총괄 김희정
표지디자인 윤순미, 박민정
내지디자인 박희춘
제작   황성진, 조규영

발행일   2022년 4월 15일 초판   2024년 4월 15일 3쇄
발행인   (주)천재교육
주소   서울시 금천구 가산로9길 54
신고번호   제2001-000018호
고객센터   1577-0902
교재 구입 문의 1522-5566

수학 리더 연산 5-B

차례

이 책의 구성과 특징

이번에 배울 내용을 알아볼까요?

공부할 내용을 만화로 재미있게 확인할 수 있습니다.

기초 계산 연습

계산 원리와 방법을 한눈에
익힐 수 있고 계산 반복 훈련으로
확실하게 익힐 수 있습니다.

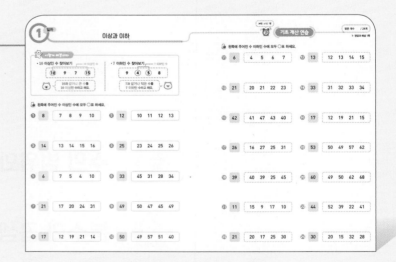

플러스 계산 연습

다양한 형태의 계산 문제를 반복하여
완벽하게 익힐 수 있습니다.

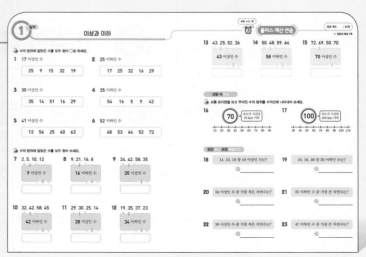

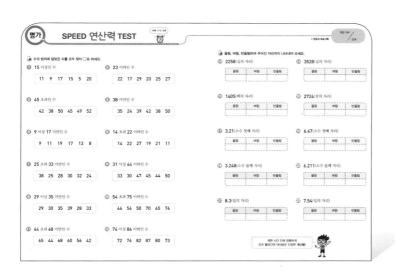

평가 SPEED 연산력 TEST

배운 내용을 테스트로 마무리 할 수 있습니다.

특강 문장제 문제 도전하기

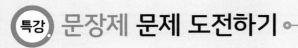

단순 연산 문제와 함께
문장제 문제도 연습할 수
있습니다.

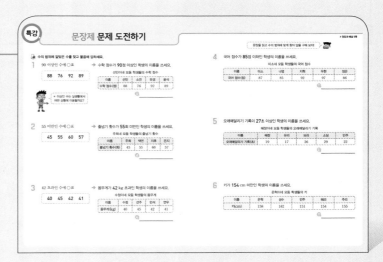

특강 창의·융합·코딩·도전하기

요즘 수학 문제인 창의·융합·코딩
문제를 수록하였습니다.

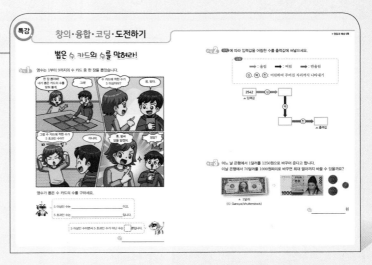

수의 범위와 어림하기

 실생활에서 알아보는 재미있는 수학 이야기

이번에 배울 내용을 알아볼까요?

1 일차

이상과 이하

이렇게 해결하자

• **10 이상인 수 찾아보기** ─ 10 이상인 수

| ⑫ | 9 | 7 | ⑮ |

10과 같거나 큰 수를
10 이상인 수라고 해요.

• **7 이하인 수 찾아보기** ─ 7 이하인 수

| 9 | ④ | ⑤ | 8 |

7과 같거나 작은 수를
7 이하인 수라고 해요.

왼쪽에 주어진 수 이상인 수에 모두 ◯표 하세요.

❶ **8** | 7   8   9   10 |

❷ **12** | 10   11   12   13 |

❸ **14** | 13   14   15   16 |

❹ **25** | 23   24   25   26 |

❺ **6** | 7   5   4   10 |

❻ **33** | 45   31   28   34 |

❼ **21** | 17   20   24   31 |

❽ **49** | 50   47   45   49 |

❾ **17** | 12   19   21   14 |

❿ **50** | 49   57   51   40 |

6

수의 범위와 어림하기

1

🐻 왼쪽에 주어진 수 이하인 수에 모두 ◯표 하세요.

⑪ **6**   4   5   6   7

⑫ **13**   12   13   14   15

⑬ **21**   20   21   22   23

⑭ **33**   31   32   33   34

⑮ **42**   41   47   43   40

⑯ **17**   12   19   21   15

⑰ **26**   16   27   25   31

⑱ **53**   50   49   57   62

⑲ **39**   40   39   25   45

⑳ **60**   49   50   62   68

㉑ **11**   15   9   17   10

㉒ **44**   52   39   47   41

㉓ **21**   20   17   25   30

㉔ **30**   20   15   32   28

1

수의 범위와 어림하기

7

이상과 이하

🐻 수의 범위에 알맞은 수를 모두 찾아 ◯표 하세요.

1 17 이상인 수

| 25 | 9 | 15 | 32 | 19 |

2 25 이하인 수

| 17 | 25 | 32 | 16 | 29 |

3 30 이상인 수

| 35 | 14 | 51 | 16 | 29 |

4 35 이하인 수

| 54 | 16 | 5 | 9 | 42 |

5 41 이상인 수

| 13 | 54 | 25 | 40 | 63 |

6 52 이하인 수

| 48 | 53 | 64 | 52 | 72 |

🐻 수의 범위에 알맞은 수를 모두 찾아 쓰세요.

7 2, 5, 10, 12

9 이상인 수

8 9, 21, 16, 8

16 이하인 수

9 24, 42, 58, 35

35 이상인 수

10 32, 42, 58, 45

42 이하인 수

11 29, 30, 25, 14

28 이상인 수

12 19, 35, 37, 23

34 이하인 수

13 43, 25, 52, 36

43 이상인 수

14 50, 48, 59, 64

58 이하인 수

15 72, 69, 50, 70

70 이상인 수

생활 속 문제

🐻 교통 표지판을 보고 주어진 수의 범위를 수직선에 나타내어 보세요.

16

70

속도가 시간당 70 km 이하

```
10  20  30  40  50  60  70  80  90
```

17

100

속도가 시간당 100 km 이하

```
30  40  50  60  70  80  90  100  110
```

문장 읽고 문제 해결하기

18 14, 15, 19 중 19 이상인 수는?

답 _____

19 24, 16, 48 중 20 이하인 수는?

답 _____

20 16 이상인 수 중 가장 작은 자연수는?

답 _____

21 25 이하인 수 중 가장 큰 자연수는?

답 _____

22 30 이상인 수 중 가장 작은 자연수는?

답 _____

23 47 이하인 수 중 가장 큰 자연수는?

답 _____

1

수의 범위와 어림하기

9

초과와 미만

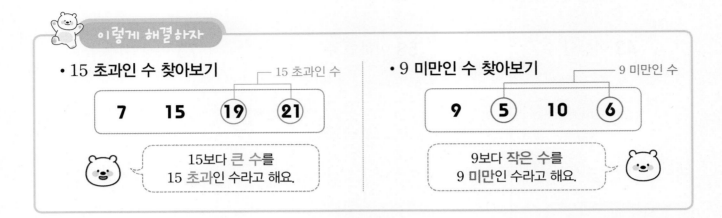

이렇게 해결하자

• 15 초과인 수 찾아보기

15 초과인 수

| 7 | 15 | ⑲ | ㉑ |

15보다 **큰 수**를
15 초과인 수라고 해요.

• 9 미만인 수 찾아보기

9 미만인 수

| 9 | ⑤ | 10 | ⑥ |

9보다 **작은 수**를
9 미만인 수라고 해요.

왼쪽에 주어진 수 초과인 수에 모두 ◯표 하세요.

❶ **4** 3 4 5 6

❷ **9** 9 10 11 12

❸ **12** 11 12 13 14

❹ **20** 20 21 22 23

❺ **34** 35 28 34 45

❻ **28** 29 15 28 32

❼ **45** 42 45 46 50

❽ **50** 51 49 60 72

❾ **37** 35 40 57 37

❿ **41** 40 45 39 63

왼쪽에 주어진 수 미만인 수에 모두 ◯표 하세요.

⑪ **5** | 2　3　4　5

⑫ **8** | 6　7　8　9

⑬ **11** | 9　10　11　12

⑭ **17** | 14　15　16　17

⑮ **22** | 15　22　27　20

⑯ **29** | 30　19　21　29

⑰ **34** | 36　34　32　30

⑱ **43** | 44　40　45　39

⑲ **30** | 28　31　15　42

⑳ **45** | 30　45　28　44

㉑ **56** | 27　58　57　50

㉒ **62** | 59　62　47　65

㉓ **82** | 80　75　84　93

㉔ **77** | 77　72　69　70

초과와 미만

🐻 수의 범위에 알맞은 수를 모두 찾아 ◯표 하세요.

1 19 초과인 수

15 17 19 25 31

2 22 미만인 수

25 22 17 19 23

3 35 초과인 수

31 35 42 47 28

4 40 미만인 수

40 19 46 25 34

5 54 초과인 수

45 50 59 60 78

6 68 미만인 수

65 72 69 54 40

🐻 수의 범위에 알맞은 수를 모두 찾아 쓰세요.

7 5, 8, 9, 12

8 초과인 수

8 9, 7, 14, 15

15 미만인 수

9 25, 14, 27, 10

18 초과인 수

10 35, 26, 14, 20

26 미만인 수

11 32, 27, 35, 20

30 초과인 수

12 42, 36, 30, 28

34 미만인 수

1 수의 범위와 어림하기

13 47, 56, 40, 45

41 초과인 수

14 58, 62, 50, 45

59 미만인 수

15 36, 65, 70, 62

64 초과인 수

생활 속 문제

정원이 25명인 버스에 다음과 같이 사람들이 타고 있습니다. 정원을 초과한 버스에 ○표 하세요.

16
22명 26명 20명

17
29명 24명 21명

18
17명 24명 28명

19
27명 25명 23명

문장 읽고 문제 해결하기

20 15, 25, 19 중 20 초과인 수는?

 답 _____

21 9, 16, 12 중 12 미만인 수는?

 답 _____

22 22 초과인 수 중 가장 작은 자연수는?

 답 _____

23 35 미만인 수 중 가장 큰 자연수는?

 답 _____

1

수의 범위와 어림하기

13

이상, 이하, 초과, 미만

이렇게 해결하자

• 7 이상 12 미만인 수 찾아보기 ── 7 이상 12 미만인 수

| **6** | **15** | ⑪ | ⑩ | **12** | ⑧ |

7과 같거나 크고 12보다 작은 수를 모두 찾으면 11, 10, 8이에요.

수의 범위에 알맞은 수를 모두 찾아 ◯표 하세요.

① **8** 이상 **11** 이하인 수

| 7 | 8 | 9 | 10 | 11 | 12 |

② **9** 초과 **13** 미만인 수

| 8 | 9 | 10 | 11 | 12 | 13 |

③ **11** 이상 **14** 미만인 수

| 10 | 11 | 12 | 13 | 14 | 15 |

④ **15** 초과 **19** 이하인 수

| 14 | 15 | 16 | 17 | 18 | 19 |

⑤ **25** 이상 **27** 이하인 수

| 24 | 25 | 26 | 27 | 28 | 29 |

⑥ **30** 초과 **35** 미만인 수

| 30 | 31 | 32 | 33 | 34 | 35 |

⑦ **54** 이상 **57** 미만인 수

| 54 | 55 | 56 | 57 | 58 | 59 |

⑧ **42** 초과 **45** 이하인 수

| 41 | 42 | 43 | 44 | 45 | 46 |

⑨ **35** 이상 **39** 이하인 수

| 34 | 35 | 36 | 37 | 38 | 39 |

⑩ **46** 초과 **50** 미만인 수

| 45 | 46 | 47 | 48 | 49 | 50 |

기초 계산 연습

⑪ **22** 초과 **29** 이하인 수

| 21 | 18 | 29 | 38 | 25 | 20 |

⑫ **33** 이상 **39** 미만인 수

| 32 | 39 | 42 | 31 | 33 | 35 |

⑬ **41** 이상 **50** 이하인 수

| 47 | 45 | 40 | 52 | 54 | 50 |

⑭ **52** 초과 **61** 미만인 수

| 52 | 58 | 57 | 61 | 62 | 64 |

⑮ **35** 초과 **45** 이하인 수

| 32 | 41 | 47 | 33 | 35 | 42 |

⑯ **60** 이상 **68** 이하인 수

| 61 | 58 | 62 | 66 | 69 | 67 |

⑰ **44** 이상 **52** 미만인 수

| 42 | 49 | 50 | 43 | 45 | 40 |

⑱ **64** 초과 **75** 미만인 수

| 72 | 75 | 64 | 68 | 70 | 77 |

⑲ **30** 초과 **45** 이하인 수

| 35 | 41 | 49 | 37 | 30 | 29 |

⑳ **25** 이상 **35** 미만인 수

| 27 | 29 | 30 | 33 | 35 | 24 |

㉑ **55** 초과 **69** 미만인 수

| 55 | 68 | 67 | 58 | 50 | 53 |

㉒ **49** 이상 **57** 이하인 수

| 51 | 49 | 44 | 59 | 60 | 58 |

이상, 이하, 초과, 미만

🐻 수의 범위에 알맞은 수를 모두 찾아 ◯표 하세요.

1 27 이상 38 미만인 수

| 25 | 36 | 35 | 37 | 28 | 40 |

2 44 초과 52 이하인 수

| 44 | 47 | 50 | 52 | 58 | 49 |

3 38 초과 48 미만인 수

| 38 | 50 | 45 | 39 | 48 | 55 |

4 50 이상 66 이하인 수

| 52 | 66 | 62 | 45 | 49 | 50 |

5 72 이상 90 미만인 수

| 70 | 78 | 75 | 90 | 88 | 86 |

6 85 초과 99 미만인 수

| 86 | 84 | 95 | 99 | 92 | 81 |

🐻 수의 범위에 알맞은 수를 모두 찾아 쓰세요.

7 12, 8, 5, 10, 9

9 초과
12 이하인 수

8 22, 25, 18, 20, 24

19 이상
24 미만인 수

9 32, 30, 27, 33, 38

27 초과
35 미만인 수

10 45, 42, 39, 40, 37

40 이상
45 미만인 수

11 50, 58, 49, 52, 44

49 초과
55 이하인 수

12 62, 65, 60, 67, 69

60 이상
65 이하인 수

수의 범위에 알맞은 수를 모두 찾아 ◯표 하세요.

13

49 이상 56 이하인 수

| 47 | 50 | 55 |
| 52 | 57 | 59 |

14

37 초과 49 이하인 수

| 37 | 48 | 45 |
| 35 | 49 | 50 |

15

23 이상 36 미만인 수

| 35 | 22 | 36 |
| 28 | 30 | 21 |

16

12 초과 35 이하인 수

| 12 | 15 | 38 |
| 42 | 25 | 33 |

문장 읽고 문제 해결하기

17

5 이상 10 이하인 자연수는 모두 몇 개?

답 _____ 개

18

17 이상 22 미만인 자연수는 모두 몇 개?

답 _____ 개

19

25 초과 29 미만인 자연수는 모두 몇 개?

답 _____ 개

20

33 초과 37 이하인 자연수는 모두 몇 개?

답 _____ 개

4 일차

올림

 이렇게 해결하자

• 315를 올림하여 십의 자리까지 나타내기

315 ⇨ 320

> 십의 자리 아래 수인
> **5**를 **10**으로 보고
> 320으로 나타내요.

• 2.54를 올림하여 소수 첫째 자리까지 나타내기

2.54 ⇨ 2.6

> 소수 첫째 자리 아래 수인
> **0.04**를 **0.1**로 보고
> 2.6으로 나타내요.

 올림하여 주어진 자리까지 나타내어 보세요.

① 324(십의 자리)

② 587(백의 자리)

③ 452(십의 자리)

④ 623(십의 자리)

⑤ 724(백의 자리)

⑥ 988(십의 자리)

⑦ 509(십의 자리)

⑧ 372(백의 자리)

⑨ 562(십의 자리)

⑩ 400(십의 자리)

⑪ 201(백의 자리)

⑫ 123(십의 자리)

1

수의 범위와 어림하기

⑬ 2548(십의 자리)

⑭ 4375(백의 자리)

⑮ 6259(천의 자리)

⑯ 5579(십의 자리)

⑰ 1217(백의 자리)

⑱ 4842(천의 자리)

⑲ 1623(십의 자리)

⑳ 1001(백의 자리)

㉑ 2003(천의 자리)

㉒ 1587(십의 자리)

㉓ 4101(백의 자리)

㉔ 3030(천의 자리)

㉕ 2582(십의 자리)

㉖ 1723(백의 자리)

㉗ 6208(천의 자리)

1

수의 범위와 어림하기

올림

🐻 올림하여 주어진 자리까지 나타내어 보세요.

1 1.25(소수 첫째 자리)

☐

2 3.59(소수 첫째 자리)

☐

3 4.05(소수 첫째 자리)

☐

4 1.47(소수 첫째 자리)

☐

5 8.564(소수 첫째 자리)

☐

6 9.524(소수 첫째 자리)

☐

7 5.648(소수 둘째 자리)

☐

8 6.053(소수 둘째 자리)

☐

9 7.305(소수 둘째 자리)

☐

🐻 올림하여 주어진 자리까지 나타내어 보세요.

10 582 → 십의 자리까지 → ☐

11 371 → 십의 자리까지 → ☐

12 472 → 백의 자리까지 → ☐

13 5164 → 백의 자리까지 → ☐

14 7233 → 천의 자리까지 → ☐

15 4160 → 천의 자리까지 → ☐

플러스 계산 연습

16 1.42 → 소수 첫째 자리까지 → ☐

17 5.83 → 소수 첫째 자리까지 → ☐

18 3.205 → 소수 둘째 자리까지 → ☐

19 4.172 → 소수 둘째 자리까지 → ☐

생활 속 문제

문구점에서 끈을 1 m 단위로만 판매한다고 합니다. 사야 할 끈은 최소 몇 m인지 구하세요.

20 끈 642 cm가 필요해요.

☐ m

21 끈 315 cm가 필요해요.

☐ m

문장 읽고 문제 해결하기

22 358을 올림하여 십의 자리까지 나타내면?

답 _____

23 824를 올림하여 백의 자리까지 나타내면?

답 _____

24 1058을 올림하여 백의 자리까지 나타내면?

답 _____

25 7158을 올림하여 천의 자리까지 나타내면?

답 _____

버림

 이렇게 해결하자

- 231을 버림하여 백의 자리까지 나타내기

231 ⇨ **200**

백의 자리 아래 수인 **31**을 **0**으로 보고 200으로 나타내요.

- 3.52를 버림하여 소수 첫째 자리까지 나타내기

3.52 ⇨ **3.5**

소수 첫째 자리 아래 수인 **0.02**를 **0**으로 보고 3.5로 나타내요.

 버림하여 주어진 자리까지 나타내어 보세요.

❶ **115**(십의 자리)

❷ **236**(백의 자리)

❸ **338**(십의 자리)

❹ **753**(십의 자리)

❺ **526**(백의 자리)

❻ **457**(십의 자리)

❼ **325**(십의 자리)

❽ **854**(백의 자리)

❾ **627**(십의 자리)

❿ **307**(십의 자리)

⓫ **107**(백의 자리)

⓬ **395**(십의 자리)

기초 계산 연습

⑬ 1254(십의 자리)

⑭ 1692(백의 자리)

⑮ 2508(천의 자리)

⑯ 5021(십의 자리)

⑰ 6077(백의 자리)

⑱ 8264(천의 자리)

⑲ 5082(십의 자리)

⑳ 1004(백의 자리)

㉑ 4236(천의 자리)

㉒ 5050(십의 자리)

㉓ 4144(백의 자리)

㉔ 3690(천의 자리)

㉕ 1238(십의 자리)

㉖ 2257(백의 자리)

㉗ 3051(천의 자리)

버림

🐻 버림하여 주어진 자리까지 나타내어 보세요.

1 1.22(소수 첫째 자리)

☐

2 2.56(소수 첫째 자리)

☐

3 5.89(소수 첫째 자리)

☐

4 2.88(소수 첫째 자리)

☐

5 3.888(소수 첫째 자리)

☐

6 6.452(소수 첫째 자리)

☐

7 2.157(소수 둘째 자리)

☐

8 5.048(소수 둘째 자리)

☐

9 3.758(소수 둘째 자리)

☐

🐻 버림하여 주어진 자리까지 나타내어 보세요.

10 176 → 십의 자리까지 → ☐

11 2417 → 십의 자리까지 → ☐

12 524 → 백의 자리까지 → ☐

13 3246 → 백의 자리까지 → ☐

14 7058 → 천의 자리까지 → ☐

15 5430 → 천의 자리까지 → ☐

16 1.49 ➡ 소수 첫째 자리까지 ➡ ⬜

17 2.513 ➡ 소수 첫째 자리까지 ➡ ⬜

18 4.031 ➡ 소수 둘째 자리까지 ➡ ⬜

19 3.785 ➡ 소수 둘째 자리까지 ➡ ⬜

 생활 속 문제

🐻 다음과 같이 과일을 상자에 담아서 팔려고 할 때, 팔 수 있는 상자는 최대 몇 상자인지 구하세요.

20

 ⇨

배 54개   한 상자에 10개씩

⬜ 상자

21

 ⇨

사과 66개   한 상자에 10개씩

⬜ 상자

문장 읽고 문제 해결하기

22 126을 버림하여 십의 자리까지 나타 내면?

답 _____

23 305를 버림하여 백의 자리까지 나타 내면?

답 _____

24 4128을 버림하여 백의 자리까지 나 타내면?

답 _____

25 6053을 버림하여 천의 자리까지 나 타내면?

답 _____

1

수의 범위와 어림하기

25

반올림

- 185를 반올림하여 십의 자리까지 나타내기

185 ⇨ 190

십의 자리 아래 숫자가 5이므로 올리면 190으로 나타낼 수 있어요.

- 2.74를 반올림하여 소수 첫째 자리까지 나타내기

2.74 ⇨ 2.7

소수 첫째 자리 아래 숫자가 4이므로 버리면 2.7로 나타낼 수 있어요.

 반올림하여 주어진 자리까지 나타내어 보세요.

① **258**(십의 자리)

② **105**(십의 자리)

③ **134**(십의 자리)

④ **253**(백의 자리)

⑤ **507**(백의 자리)

⑥ **326**(백의 자리)

⑦ **1258**(백의 자리)

⑧ **3589**(백의 자리)

⑨ **4681**(백의 자리)

⑩ **1257**(천의 자리)

⑪ **3435**(천의 자리)

⑫ **5843**(천의 자리)

기초 계산 연습

⑬ 2057(십의 자리)

⑭ 1685(백의 자리)

⑮ 3589(천의 자리)

⑯ 4351(십의 자리)

⑰ 3723(백의 자리)

⑱ 2139(천의 자리)

⑲ 3287(십의 자리)

⑳ 7863(백의 자리)

㉑ 5533(천의 자리)

㉒ 4127(십의 자리)

㉓ 5335(백의 자리)

㉔ 2538(천의 자리)

㉕ 3059(십의 자리)

㉖ 8541(백의 자리)

㉗ 5208(천의 자리)

반올림

반올림하여 주어진 자리까지 나타내어 보세요.

1 3.59(소수 첫째 자리)

2 2.63(소수 첫째 자리)

3 3.514(소수 첫째 자리)

4 3.586(소수 둘째 자리)

5 4.115(소수 둘째 자리)

6 6.357(소수 둘째 자리)

7 5.3(일의 자리)

8 6.72(일의 자리)

9 8.573(일의 자리)

반올림하여 주어진 자리까지 나타내어 보세요.

10

수	십의 자리까지	백의 자리까지
3245		

11

수	십의 자리까지	백의 자리까지
4508		

12

수	십의 자리까지	천의 자리까지
2580		

13

수	십의 자리까지	천의 자리까지
6587		

14

수	백의 자리까지	천의 자리까지
5083		

15

수	백의 자리까지	천의 자리까지
7236		

반올림하여 주어진 자리까지 나타내어 보세요.

16　3.182

소수 둘째
자리까지

17　5.693

소수 첫째
자리까지

18　2.833

일의 자리까지

생활 속 문제

물건의 길이는 약 몇 cm인지 반올림하여 일의 자리까지 나타내어 보세요.

19

약 ◻ cm

20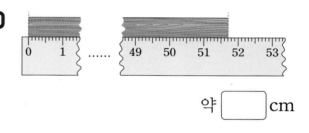

약 ◻ cm

문장 읽고 문제 해결하기

21　357을 반올림하여 십의 자리까지 나타내면?

답 _____

22　243을 반올림하여 백의 자리까지 나타내면?

답 _____

23　4548을 반올림하여 백의 자리까지 나타내면?

답 _____

24　5606을 반올림하여 천의 자리까지 나타내면?

답 _____

7 일차

올림, 버림, 반올림

• 253을 올림, 버림, 반올림하여 십의 자리까지 나타내기

올림	버림	반올림
253 ⇨ 260	253 ⇨ 250	253 ⇨ 250

십의 자리까지
나타내려면 십의 자리
아래 수를 확인해봅니다.

올림, 버림, 반올림하여 주어진 자리까지 나타내어 보세요.

① 225(십의 자리)

올림	버림	반올림

② 583(십의 자리)

올림	버림	반올림

③ 405(십의 자리)

올림	버림	반올림

④ 728(십의 자리)

올림	버림	반올림

⑤ 587(백의 자리)

올림	버림	반올림

⑥ 627(백의 자리)

올림	버림	반올림

⑦ 358(백의 자리)

올림	버림	반올림

⑧ 724(백의 자리)

올림	버림	반올림

9 **2816**(십의 자리)

올림	버림	반올림

10 **3758**(십의 자리)

올림	버림	반올림

11 **6578**(백의 자리)

올림	버림	반올림

12 **5038**(백의 자리)

올림	버림	반올림

13 **4583**(천의 자리)

올림	버림	반올림

14 **8083**(천의 자리)

올림	버림	반올림

15 **3.58**(소수 첫째 자리)

올림	버림	반올림

16 **7.34**(소수 첫째 자리)

올림	버림	반올림

17 **4.259**(소수 둘째 자리)

올림	버림	반올림

18 **5.352**(소수 둘째 자리)

올림	버림	반올림

올림, 버림, 반올림

🐻 올림, 버림, 반올림하여 주어진 자리까지 나타내어 보세요.

1 3325(십의 자리)

올림	버림	반올림

2 1578(백의 자리)

올림	버림	반올림

3 5146(천의 자리)

올림	버림	반올림

4 4.08(일의 자리)

올림	버림	반올림

🐻 수를 올림하여 주어진 자리까지 나타내어 보세요.

5

수	십의 자리까지	백의 자리까지
1583		

6

수	십의 자리까지	백의 자리까지
5217		

7

수	백의 자리까지	천의 자리까지
3258		

8

수	백의 자리까지	천의 자리까지
6835		

🐻 수를 버림하여 주어진 자리까지 나타내어 보세요.

9

수	십의 자리까지	백의 자리까지
3581		

10

수	십의 자리까지	백의 자리까지
1257		

11

수	백의 자리까지	천의 자리까지
4536		

12

수	백의 자리까지	천의 자리까지
7608		

플러스 계산 연습

🐻 수를 반올림하여 주어진 자리까지 나타내어 보세요.

13

수	십의 자리까지	백의 자리까지
5839		

14

수	십의 자리까지	백의 자리까지
2105		

15

수	백의 자리까지	천의 자리까지
7350		

16

수	백의 자리까지	천의 자리까지
6724		

17

수	소수 첫째 자리까지	소수 둘째 자리까지
1.225		

18

수	소수 첫째 자리까지	소수 둘째 자리까지
5.315		

문장 읽고 문제 해결하기

19 157을 올림하여 십의 자리까지 나타내면?

답 _____

20 2368을 버림하여 백의 자리까지 나타내면?

답 _____

21 715를 반올림하여 백의 자리까지 나타내면?

답 _____

22 2825를 반올림하여 천의 자리까지 나타내면?

답 _____

🐻 수의 범위에 알맞은 수를 모두 찾아 ◯표 하세요.

① **15** 이상인 수

| 11 | 9 | 17 | 15 | 5 | 20 |

② **23** 이하인 수

| 22 | 17 | 29 | 20 | 25 | 27 |

③ **45** 초과인 수

| 42 | 38 | 50 | 45 | 49 | 52 |

④ **38** 미만인 수

| 35 | 24 | 39 | 42 | 38 | 50 |

⑤ **9** 이상 **17** 미만인 수

| 9 | 11 | 19 | 17 | 13 | 8 |

⑥ **14** 초과 **22** 이하인 수

| 14 | 22 | 27 | 19 | 21 | 11 |

⑦ **25** 초과 **33** 미만인 수

| 38 | 25 | 28 | 30 | 32 | 24 |

⑧ **31** 이상 **44** 이하인 수

| 33 | 30 | 47 | 45 | 44 | 50 |

⑨ **29** 이상 **35** 미만인 수

| 29 | 30 | 35 | 39 | 28 | 33 |

⑩ **54** 초과 **75** 이하인 수

| 44 | 54 | 50 | 70 | 65 | 76 |

⑪ **44** 초과 **68** 미만인 수

| 65 | 44 | 68 | 60 | 56 | 42 |

⑫ **74** 이상 **86** 이하인 수

| 72 | 76 | 82 | 87 | 80 | 73 |

🐻 올림, 버림, 반올림하여 주어진 자리까지 나타내어 보세요.

⑬ **2258**(십의 자리)

올림	버림	반올림

⑭ **3528**(십의 자리)

올림	버림	반올림

⑮ **1405**(백의 자리)

올림	버림	반올림

⑯ **2724**(천의 자리)

올림	버림	반올림

⑰ **3.21**(소수 첫째 자리)

올림	버림	반올림

⑱ **6.47**(소수 첫째 자리)

올림	버림	반올림

⑲ **3.248**(소수 둘째 자리)

올림	버림	반올림

⑳ **6.211**(소수 둘째 자리)

올림	버림	반올림

㉑ **8.3**(일의 자리)

올림	버림	반올림

㉒ **7.54**(일의 자리)

올림	버림	반올림

1

수의 범위와 어림하기

35

제한 시간 안에 정확하게
모두 풀었다면 여러분은 진정한 **계산왕!**

문장제 문제 도전하기

🐻 수의 범위에 알맞은 수를 찾고 물음에 답하세요.

1 90 이상인 수에 ○표

| 88 | 76 | 92 | 89 |

● 이상인 수는 실생활에서 어떤 상황에 이용될까요?

➡ 수학 점수가 **90**점 이상인 학생의 이름을 쓰세요.

선민이네 모둠 학생들의 수학 점수

이름	선민	소연	유경	윤석
수학 점수(점)	88	76	92	89

답 _____

2 55 미만인 수에 ○표

| 45 | 55 | 60 | 57 |

➡ 줄넘기 횟수가 **55**회 미만인 학생의 이름을 쓰세요.

주희네 모둠 학생들의 줄넘기 횟수

이름	주희	택연	지후	은지
줄넘기 횟수(회)	45	55	60	57

답 _____

3 42 초과인 수에 ○표

| 40 | 45 | 42 | 41 |

➡ 몸무게가 **42** kg 초과인 학생의 이름을 쓰세요.

수정이네 모둠 학생들의 몸무게

이름	수정	선주	민석	연우
몸무게(kg)	40	45	42	41

답 _____

▶정답과 해설 **5쪽**

문장을 읽고 수의 범위에 맞게 찾아 답을 구해 보자!

4 국어 점수가 **85**점 이하인 학생의 이름을 쓰세요.

미소네 모둠 학생들의 국어 점수

이름	미소	나영	지혁	우현	정은
국어 점수(점)	87	85	92	97	86

 답 _____

5 오래매달리기 기록이 **27**초 이상인 학생의 이름을 쓰세요.

혜정이네 모둠 학생들의 오래매달리기 기록

이름	혜정	유리	보라	소담	민주
오래매달리기 기록(초)	19	17	26	29	22

 답 _____

6 키가 **154** cm 미만인 학생의 이름을 쓰세요.

은혁이네 모둠 학생들의 키

이름	은혁	성수	민주	혜리	주리
키(cm)	158	162	151	154	155

 답 _____

문장제 문제 도전하기

 수를 어림하고 물음에 답하세요.

7 수를 올림하여 십의 자리까지 나타내기

168 ⇨ [　　　]

➡ 지원이는 색종이가 **168**장 필요합니다. 문구점에서 색종이를 **10**장씩 묶음으로 판다면 최소 몇 장을 사야 할까요?

답 _____ 장

8 수를 버림하여 백의 자리까지 나타내기

328 ⇨ [　　　]

➡ 과수원에서 귤을 **328**개 수확했습니다. 귤을 한 상자에 **100**개씩 담아서 팔려고 할 때, 팔 수 있는 상자는 최대 몇 상자일까요?

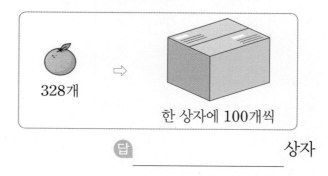

답 _____ 상자

9 수를 반올림하여 일의 자리까지 나타내기

25.5 ⇨ [　　　]

➡ 다음 끈의 길이는 약 몇 cm인지 반올림하여 일의 자리까지 나타내어 보세요.

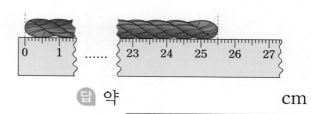

답 약 _____ cm

10 영웅이네 **5**학년 학생 **385**명에게 필통을 한 개씩 나누어 주려고 합니다.
필통은 **10**개 묶음으로만 판다면 최소 몇 개를 사야 할까요?

385개

답 _____ 개

11 과수원에서 사과를 **729**개 수확했습니다.
사과를 한 상자에 **100**개씩 담아 팔려고 할 때, 팔 수 있는 상자는 최대 몇 상자일까요?

729개

한 상자에 100개씩

답 _____ 상자

12 다음 붓의 길이는 약 몇 cm인지 반올림하여 일의 자리까지 나타내어 보세요.

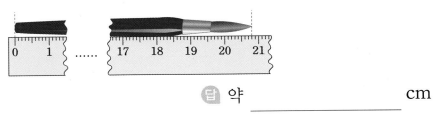

답 약 _____ cm

창의·융합·코딩·도전하기

뽑은 수 카드의 수를 맞혀라!

 창의 1 영수는 1부터 9까지의 수 카드 중 한 장을 뽑았습니다.

영수가 뽑은 수 카드의 수를 구하세요.

5 이상인 수는 _____ 이고,

5 초과인 수는 _____ 입니다.

5 이상인 수이면서 5 초과인 수가 아닌 수는 ☐ 뿐입니다.

답 _____

코딩2 **규칙**에 따라 입력값을 어림한 수를 출력값에 써넣으세요.

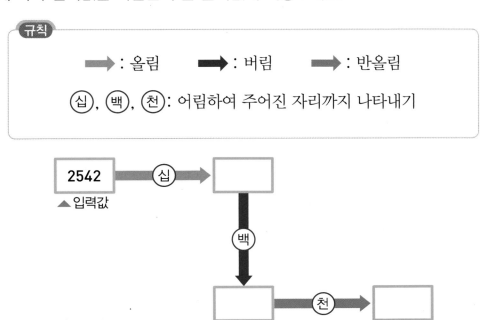

규칙

➡ : 올림   ➡ : 버림   ➡ : 반올림

⑩, ⑩, ⑩: 어림하여 주어진 자리까지 나타내기

┌──────┐
│ 2542 │ ─⑩→ ┌──────┐
└──────┘   └──────┘
▲ 입력값   │
                   ⑩
                   ↓
              ┌──────┐ ─⑩→ ┌──────┐
              └──────┘   └──────┘
                              ▲ 출력값

융합3 어느 날 은행에서 1달러를 1250원으로 바꾸어 준다고 합니다.
이날 은행에서 70달러를 1000원짜리로 바꾸면 최대 얼마까지 바꿀 수 있을까요?

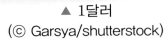
▲ 1달러
(ⓒ Garsya/shutterstock)

 답 _____ 원

2 분수의 곱셈

 실생활에서 알아보는 재미있는 수학 이야기

이번에 배울 내용을 알아볼까요?

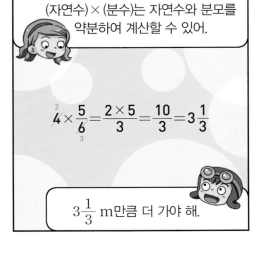

(진분수)×(자연수)

・$\dfrac{3}{8} \times 6$ 의 계산

방법 1 분수의 곱셈을 다 한 후 약분하기

$$\dfrac{3}{8} \times 6 = \dfrac{3 \times 6}{8} = \dfrac{\overset{9}{18}}{\underset{4}{8}}$$

$$= \dfrac{9}{4} = 2\dfrac{1}{4}$$

└─ 가분수를 대분수로 나타내기

방법 2 분수의 곱셈을 하는 과정에서 약분하기

$$\dfrac{3}{\underset{4}{8}} \times \overset{3}{6} = \dfrac{3 \times 3}{4} = \dfrac{9}{4} = 2\dfrac{1}{4}$$

계산 결과가 가분수이면 대분수로 나타내요.

📖 계산을 하여 기약분수로 나타내어 보세요.

❶ $\dfrac{1}{4} \times 3 = \dfrac{1 \times \Box}{4} = \dfrac{\Box}{4}$

❷ $\dfrac{2}{11} \times 4 = \dfrac{2 \times \Box}{11} = \dfrac{\Box}{11}$

❸ $\dfrac{1}{\underset{4}{8}} \times \overset{3}{6} = \dfrac{1 \times \Box}{4} = \dfrac{\Box}{4}$

❹ $\dfrac{2}{\underset{3}{9}} \times \overset{1}{3} = \dfrac{2 \times 1}{\Box} = \dfrac{2}{\Box}$

❺ $\dfrac{7}{\underset{2}{10}} \times \overset{\Box}{5} = \dfrac{7 \times \Box}{2} = \dfrac{\Box}{2}$

$= \Box\dfrac{\Box}{\Box}$

❻ $\dfrac{5}{\underset{2}{12}} \times \overset{\Box}{6} = \dfrac{5 \times \Box}{2} = \dfrac{\Box}{2}$

$= \Box\dfrac{\Box}{\Box}$

❼ $\dfrac{13}{\underset{5}{30}} \times \overset{\Box}{12} = \dfrac{13 \times \Box}{5} = \dfrac{\Box}{5}$

$= \Box\dfrac{\Box}{\Box}$

❽ $\dfrac{7}{\underset{5}{25}} \times \overset{\Box}{10} = \dfrac{7 \times \Box}{5} = \dfrac{\Box}{5}$

$= \Box\dfrac{\Box}{\Box}$

⑨ $\dfrac{7}{12} \times 15$

⑩ $\dfrac{9}{14} \times 6$

⑪ $\dfrac{8}{25} \times 10$

⑫ $\dfrac{4}{15} \times 4$

⑬ $\dfrac{5}{6} \times 5$

⑭ $\dfrac{7}{10} \times 3$

⑮ $\dfrac{11}{27} \times 9$

⑯ $\dfrac{17}{42} \times 12$

⑰ $\dfrac{5}{21} \times 14$

⑱ $\dfrac{9}{16} \times 20$

⑲ $\dfrac{4}{15} \times 3$

⑳ $\dfrac{17}{72} \times 16$

㉑ $\dfrac{4}{9} \times 15$

㉒ $\dfrac{11}{16} \times 8$

㉓ $\dfrac{7}{18} \times 12$

㉔ $\dfrac{9}{20} \times 15$

㉕ $\dfrac{3}{26} \times 2$

㉖ $\dfrac{35}{81} \times 27$

㉗ $\dfrac{5}{16} \times 24$

㉘ $\dfrac{13}{42} \times 24$

㉙ $\dfrac{17}{39} \times 13$

2

분수의 곱셈

45

(진분수)×(자연수)

🐻 계산을 하여 기약분수로 나타내어 보세요.

1 $\dfrac{1}{3} \times 7$

2 $\dfrac{4}{9} \times 15$

3 $\dfrac{17}{18} \times 6$

4 $\dfrac{2}{5} \times 10$

5 $\dfrac{3}{8} \times 22$

6 $\dfrac{9}{20} \times 25$

7 $\dfrac{3}{4} \times 28$

8 $\dfrac{7}{20} \times 30$

9 $\dfrac{13}{44} \times 33$

🐻 빈칸에 알맞은 기약분수를 써넣으세요.

10 $\dfrac{7}{18}$ × 30 =

11 $\dfrac{21}{25}$ × 5 =

12 $\dfrac{3}{10}$ × 5 =

13 $\dfrac{9}{14}$ × 35 =

14 $\dfrac{5}{21}$ × 14 =

15 $\dfrac{5}{9}$ × 18 =

플러스 계산 연습

16 $\dfrac{7}{12}$ × 20 =

17 $\dfrac{13}{42}$ × 30 =

생활 속 **계산**

🐻 자전거를 타고 일정한 빠르기로 이동할 때 주어진 시간 동안 갈 수 있는 거리를 기약분수로 나타내어 보세요.

18

1분에 $\dfrac{6}{11}$ km씩 5분 동안 이동했어요.

$$\dfrac{6}{11} \times 5 = \boxed{} \text{(km)}$$

19

1분에 $\dfrac{9}{16}$ km씩 8분 동안 이동했어요.

$$\dfrac{9}{16} \times 8 = \boxed{} \text{(km)}$$

문장 **읽고** 계산식 **세우기**

20 한 컵에 $\dfrac{8}{21}$ L씩 14컵에 담긴 물의 양을 기약분수로 나타내면?

식 $\dfrac{8}{21} \times 14 = \boxed{} \text{(L)}$

21 한 컵에 $\dfrac{7}{16}$ L씩 12컵에 담긴 물의 양을 기약분수로 나타내면?

식 $\dfrac{7}{16} \times \boxed{} = \boxed{} \text{(L)}$

22 한 개의 무게가 $\dfrac{9}{14}$ kg인 귤 10개의 무게를 기약분수로 나타내면?

식 $\dfrac{9}{14} \times 10 = \boxed{} \text{(kg)}$

23 한 개의 무게가 $\dfrac{11}{15}$ kg인 사과 18개의 무게를 기약분수로 나타내면?

식 $\dfrac{11}{15} \times \boxed{} = \boxed{} \text{(kg)}$

(대분수)×(자연수)

이렇게 해결하자

• $1\dfrac{4}{9}\times6$의 계산

방법 **1** 대분수를 가분수로 나타내어 계산

$$1\frac{4}{9}\times6=\frac{\overset{13}{\cancel{13}}}{\underset{3}{\cancel{9}}}\times\overset{2}{\cancel{6}}=\frac{13\times2}{3}$$

$$=\frac{26}{3}=8\frac{2}{3}$$

계산 과정에서 약분이 되면 약분하여 계산해요.

방법 **2** 대분수를 자연수 부분과 분수 부분으로 나누어 계산

$$1\frac{4}{9}\times6=(1\times6)+\left(\frac{4}{9}\times\overset{2}{\cancel{6}}\right)$$

$$=6+\frac{8}{3}=6+2\frac{2}{3}=8\frac{2}{3}$$

계산을 하여 기약분수로 나타내어 보세요.

❶ $1\dfrac{2}{3}\times8=\dfrac{\Box}{3}\times8=\dfrac{\Box\times8}{3}$

$=\dfrac{\Box}{3}=\Box\dfrac{\Box}{3}$

❷ $1\dfrac{1}{6}\times9=\dfrac{\Box}{\underset{2}{\cancel{6}}}\times\overset{3}{\cancel{9}}=\dfrac{\Box\times3}{2}$

$=\dfrac{\Box}{2}=\Box\dfrac{\Box}{2}$

❸ $1\dfrac{3}{4}\times10=\dfrac{\Box}{\underset{2}{\cancel{4}}}\times\overset{5}{\cancel{10}}=\dfrac{\Box\times5}{2}$

$=\dfrac{\Box}{2}=\Box\dfrac{\Box}{2}$

❹ $2\dfrac{1}{2}\times3=\dfrac{\Box}{2}\times3=\dfrac{\Box\times3}{2}$

$=\dfrac{\Box}{2}=\Box\dfrac{\Box}{2}$

❺ $1\dfrac{3}{14}\times7=\dfrac{\Box}{\underset{2}{\cancel{14}}}\times\overset{1}{\cancel{7}}=\dfrac{\Box\times1}{2}$

$=\dfrac{\Box}{2}=\Box\dfrac{\Box}{2}$

❻ $1\dfrac{2}{9}\times6=\dfrac{\Box}{\underset{3}{\cancel{9}}}\times\overset{2}{\cancel{6}}=\dfrac{\Box\times2}{3}$

$=\dfrac{\Box}{3}=\Box\dfrac{\Box}{3}$

7 $3\dfrac{1}{7} \times 2$

8 $1\dfrac{5}{8} \times 2$

9 $1\dfrac{5}{22} \times 11$

10 $2\dfrac{5}{12} \times 9$

11 $1\dfrac{3}{11} \times 7$

12 $1\dfrac{3}{4} \times 8$

13 $2\dfrac{4}{15} \times 5$

14 $2\dfrac{1}{2} \times 8$

15 $4\dfrac{2}{7} \times 14$

16 $1\dfrac{3}{16} \times 2$

17 $3\dfrac{5}{18} \times 9$

18 $2\dfrac{1}{14} \times 6$

19 $1\dfrac{7}{20} \times 8$

20 $1\dfrac{7}{15} \times 10$

21 $1\dfrac{7}{24} \times 16$

22 $1\dfrac{11}{18} \times 24$

23 $3\dfrac{3}{7} \times 2$

24 $1\dfrac{3}{8} \times 4$

25 $3\dfrac{3}{4} \times 10$

26 $1\dfrac{5}{11} \times 6$

27 $3\dfrac{7}{12} \times 10$

(대분수)×(자연수)

🐻 계산을 하여 기약분수로 나타내어 보세요.

1 $1\frac{1}{14} \times 7$

2 $3\frac{5}{12} \times 4$

3 $1\frac{6}{25} \times 10$

4 $5\frac{5}{12} \times 6$

5 $2\frac{1}{8} \times 6$

6 $1\frac{5}{33} \times 3$

7 $1\frac{4}{21} \times 14$

8 $3\frac{3}{4} \times 20$

9 $1\frac{3}{28} \times 7$

🐻 빈칸에 알맞은 기약분수를 써넣으세요.

10 $2\frac{1}{4}$ → $\times 2$ → ▢

11 $1\frac{7}{30}$ → $\times 15$ → ▢

12 $2\frac{1}{27}$ → $\times 9$ → ▢

13 $2\frac{3}{10}$ → $\times 5$ → ▢

14 $1\frac{4}{15}$ → $\times 6$ → ▢

15 $2\frac{7}{20}$ → $\times 30$ → ▢

분수의 곱셈

16

$$1\frac{5}{26} \rightarrow \boxed{\times 12} \rightarrow \boxed{}$$

17

$$1\frac{3}{28} \rightarrow \boxed{\times 4} \rightarrow \boxed{}$$

생활 속 계산

음료수는 모두 몇 L인지 기약분수로 나타내어 보세요.

18 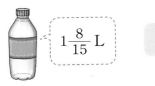 $1\frac{8}{15}$ L   5병

$$1\frac{8}{15} \times 5 = \boxed{} \text{ (L)}$$

19  $2\frac{7}{9}$ L   6병

$$2\frac{7}{9} \times 6 = \boxed{} \text{ (L)}$$

문장 읽고 계산식 세우기

20 한 개의 길이가 $1\frac{3}{8}$ m인 끈 10개의 길이를 기약분수로 나타내면?

식 $1\frac{3}{8} \times 10 = \boxed{}$ (m)

21 한 개의 길이가 $2\frac{11}{15}$ m인 끈 9개의 길이를 기약분수로 나타내면?

식 $2\frac{11}{15} \times \boxed{} = \boxed{}$ (m)

22 한 봉지에 $1\frac{8}{27}$ kg씩 담긴 설탕 12봉지의 무게를 기약분수로 나타내면?

식 $1\frac{8}{27} \times 12 = \boxed{}$ (kg)

23 한 봉지에 $3\frac{5}{9}$ kg씩 담긴 설탕 6봉지의 무게를 기약분수로 나타내면?

식 $3\frac{5}{9} \times \boxed{} = \boxed{}$ (kg)

2

분수의 곱셈

(자연수)×(진분수)

 이렇게 해결하자

• 자연수가 분모의 배수인 $9 \times \dfrac{2}{3}$ 의 계산

$$\overset{3}{9} \times \dfrac{2}{\underset{1}{3}} = 6$$

> 자연수와 분모를 약분해요.

• 자연수가 분모의 배수가 아닌 $4 \times \dfrac{4}{9}$ 의 계산

$$4 \times \dfrac{4}{9} = \dfrac{4 \times 4}{9} = \dfrac{16}{9} = 1\dfrac{7}{9}$$

2 분수의 곱셈

계산을 하여 기약분수로 나타내어 보세요.

1 $3 \times \dfrac{2}{5} = \dfrac{\boxed{}}{5} = \boxed{}\dfrac{\boxed{}}{5}$

2 $\overset{\boxed{}}{15} \times \dfrac{3}{\underset{1}{5}} = \boxed{}$

3 $12 \times \dfrac{2}{5} = \dfrac{\boxed{}}{5} = \boxed{}\dfrac{\boxed{}}{5}$

4 $\overset{1}{2} \times \dfrac{1}{6} = \dfrac{1}{\boxed{}}$

5 $\overset{\boxed{}}{12} \times \dfrac{3}{\underset{1}{4}} = \boxed{}$

6 $\overset{\boxed{}}{18} \times \dfrac{3}{\underset{5}{10}} = \dfrac{\boxed{}}{5} = \boxed{}\dfrac{\boxed{}}{5}$

7 $\overset{\boxed{}}{45} \times \dfrac{5}{\underset{2}{18}} = \dfrac{\boxed{}}{2} = \boxed{}\dfrac{\boxed{}}{2}$

8 $\overset{\boxed{}}{6} \times \dfrac{3}{\underset{10}{20}} = \dfrac{\boxed{}}{10}$

기초 계산 연습

▶ 정답과 해설 7쪽

⑨ $2 \times \dfrac{5}{6}$

⑩ $27 \times \dfrac{5}{9}$

⑪ $20 \times \dfrac{4}{5}$

⑫ $10 \times \dfrac{2}{15}$

⑬ $7 \times \dfrac{1}{6}$

⑭ $5 \times \dfrac{9}{10}$

⑮ $7 \times \dfrac{4}{11}$

⑯ $25 \times \dfrac{2}{15}$

⑰ $14 \times \dfrac{2}{7}$

⑱ $12 \times \dfrac{17}{18}$

⑲ $22 \times \dfrac{5}{12}$

⑳ $10 \times \dfrac{13}{20}$

㉑ $7 \times \dfrac{20}{21}$

㉒ $21 \times \dfrac{11}{14}$

㉓ $7 \times \dfrac{3}{5}$

㉔ $18 \times \dfrac{5}{6}$

㉕ $11 \times \dfrac{7}{33}$

㉖ $14 \times \dfrac{5}{7}$

㉗ $8 \times \dfrac{5}{12}$

㉘ $5 \times \dfrac{3}{20}$

㉙ $3 \times \dfrac{5}{9}$

2

분수의 곱셈

🐻 계산을 하여 기약분수로 나타내어 보세요.

1 $10 \times \dfrac{7}{8}$

2 $25 \times \dfrac{3}{10}$

3 $8 \times \dfrac{5}{16}$

4 $16 \times \dfrac{7}{10}$

5 $7 \times \dfrac{2}{9}$

6 $24 \times \dfrac{11}{18}$

7 $27 \times \dfrac{7}{45}$

8 $11 \times \dfrac{13}{33}$

9 $35 \times \dfrac{13}{30}$

2

분수의 곱셈

🐻 빈칸에 알맞은 기약분수를 써넣으세요.

10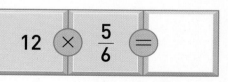

11

12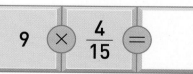

13

14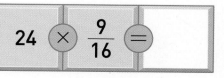

15

플러스 계산 연습

16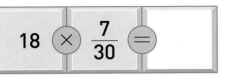

$$18 \times \frac{7}{30} =$$

17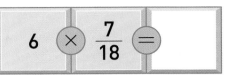

$$6 \times \frac{7}{18} =$$

생활 속 계산

 오른쪽 사람의 몸무게는 몇 kg인지 기약분수로 나타내어 보세요.

18

49 kg $\frac{13}{14}$배   ?

$$49 \times \frac{13}{14} = \boxed{} \text{(kg)}$$

19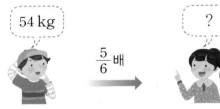

54 kg $\frac{5}{6}$배   ?

$$54 \times \frac{5}{6} = \boxed{} \text{(kg)}$$

문장 읽고 계산식 세우기

20 끈 42 m의 $\frac{17}{28}$만큼은 몇 m인지 기약분수로 나타내면?

식 $$42 \times \frac{17}{28} = \boxed{} \text{(m)}$$

21 끈 60 m의 $\frac{23}{25}$만큼은 몇 m인지 기약분수로 나타내면?

식 $$60 \times \boxed{} = \boxed{} \text{(m)}$$

22 설탕 45 kg의 $\frac{7}{12}$만큼은 몇 kg인지 기약분수로 나타내면?

식 $$45 \times \frac{7}{12} = \boxed{} \text{(kg)}$$

23 설탕 30 kg의 $\frac{11}{18}$만큼은 몇 kg인지 기약분수로 나타내면?

식 $$30 \times \boxed{} = \boxed{} \text{(kg)}$$

④ 일차

(자연수)×(대분수)

이렇게 해결하자

• $2 \times 1\frac{1}{4}$ 의 계산

방법 1 대분수를 가분수로 나타내어 계산

$$2 \times 1\frac{1}{4} = \overset{1}{2} \times \frac{5}{\underset{2}{4}} = \frac{5}{2} = 2\frac{1}{2}$$

> 대분수를 가분수로 바꾼 다음
> 약분을 해야 해요.

방법 2 대분수를 자연수 부분과 분수 부분으로 나누어 계산

$$2 \times 1\frac{1}{4} = (2 \times 1) + \left(\overset{1}{2} \times \frac{1}{\underset{2}{4}}\right)$$

$$= 2 + \frac{1}{2} = 2\frac{1}{2}$$

계산을 하여 기약분수로 나타내어 보세요.

① $5 \times 1\frac{1}{2} = 5 \times \dfrac{\boxed{}}{2} = \dfrac{5 \times \boxed{}}{2}$

$\qquad = \dfrac{\boxed{}}{2} = \boxed{}\dfrac{\boxed{}}{2}$

② $3 \times 2\frac{1}{5} = 3 \times \dfrac{\boxed{}}{5} = \dfrac{3 \times \boxed{}}{5}$

$\qquad = \dfrac{\boxed{}}{5} = \boxed{}\dfrac{\boxed{}}{5}$

③ $7 \times 2\frac{2}{3} = 7 \times \dfrac{\boxed{}}{3} = \dfrac{7 \times \boxed{}}{3}$

$\qquad = \dfrac{\boxed{}}{3} = \boxed{}\dfrac{\boxed{}}{3}$

④ $9 \times 2\frac{1}{6} = \overset{3}{9} \times \dfrac{\boxed{}}{\underset{2}{6}} = \dfrac{3 \times \boxed{}}{2}$

$\qquad = \dfrac{\boxed{}}{2} = \boxed{}\dfrac{\boxed{}}{2}$

⑤ $4 \times 1\frac{5}{6} = \overset{2}{4} \times \dfrac{\boxed{}}{\underset{3}{6}} = \dfrac{2 \times \boxed{}}{3}$

$\qquad = \dfrac{\boxed{}}{3} = \boxed{}\dfrac{\boxed{}}{3}$

⑥ $3 \times 4\frac{1}{12} = \overset{1}{3} \times \dfrac{\boxed{}}{\underset{4}{12}} = \dfrac{1 \times \boxed{}}{4}$

$\qquad = \dfrac{\boxed{}}{4} = \boxed{}\dfrac{\boxed{}}{4}$

2

분수의 곱셈

⑦ $3 \times 3\dfrac{1}{2}$

⑧ $2 \times 1\dfrac{1}{7}$

⑨ $5 \times 1\dfrac{4}{25}$

⑩ $21 \times 2\dfrac{3}{14}$

⑪ $12 \times 4\dfrac{1}{3}$

⑫ $15 \times 1\dfrac{1}{12}$

⑬ $4 \times 1\dfrac{1}{8}$

⑭ $5 \times 2\dfrac{3}{10}$

⑮ $8 \times 1\dfrac{3}{20}$

⑯ $15 \times 2\dfrac{5}{6}$

⑰ $5 \times 1\dfrac{8}{15}$

⑱ $9 \times 1\dfrac{2}{15}$

⑲ $8 \times 2\dfrac{1}{4}$

⑳ $12 \times 3\dfrac{1}{8}$

㉑ $3 \times 2\dfrac{1}{5}$

㉒ $6 \times 1\dfrac{5}{7}$

㉓ $25 \times 1\dfrac{7}{10}$

㉔ $16 \times 2\dfrac{3}{10}$

㉕ $5 \times 1\dfrac{7}{30}$

㉖ $12 \times 4\dfrac{5}{6}$

㉗ $6 \times 1\dfrac{4}{15}$

2

분수의 곱셈

57

(자연수)×(대분수)

🐻 계산을 하여 기약분수로 나타내어 보세요.

1 $2 \times 1\frac{2}{5}$

2 $7 \times 2\frac{2}{21}$

3 $4 \times 2\frac{1}{6}$

4 $3 \times 6\frac{1}{9}$

5 $7 \times 2\frac{5}{14}$

6 $10 \times 1\frac{4}{15}$

7 $5 \times 2\frac{7}{15}$

8 $18 \times 3\frac{4}{9}$

9 $60 \times 1\frac{5}{24}$

🐻 빈칸에 알맞은 기약분수를 써넣으세요.

10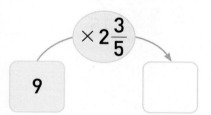

11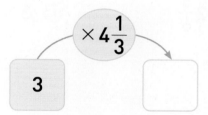

12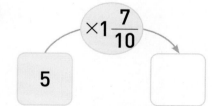

13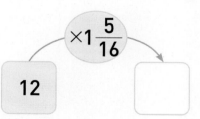

14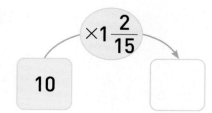

15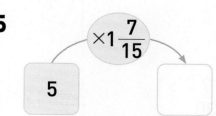

2 분수의 곱셈

🐻 두 수의 곱을 기약분수로 나타내어 빈칸에 써넣으세요.

16

3	$3\frac{1}{6}$

17

8	$1\frac{5}{7}$

18

13	$1\frac{3}{26}$

19

18	$2\frac{2}{9}$

문장 읽고 계산식 세우기

20
색종이 18장의 $1\frac{2}{9}$배만큼 사용했다면 사용한 색종이는 몇 장?

식 $18 \times 1\frac{2}{9} = \boxed{}$ (장)

21
색종이 24장의 $2\frac{5}{6}$배만큼 사용했다면 사용한 색종이는 몇 장?

식 $24 \times \boxed{} = \boxed{}$ (장)

22
가로가 2 m, 세로가 $1\frac{1}{4}$ m인 직사각형의 넓이를 기약분수로 나타내면?

식 $2 \times 1\frac{1}{4} = \boxed{}$ (m²)

23
가로가 3 m, 세로가 $2\frac{5}{6}$ m인 직사각형의 넓이를 기약분수로 나타내면?

식 $3 \times \boxed{} = \boxed{}$ (m²)

2

분수의 곱셈

59

🐻 계산을 하여 기약분수로 나타내어 보세요.

❶ $\frac{4}{7} \times 3$

❷ $\frac{5}{9} \times 8$

❸ $\frac{7}{12} \times 9$

❹ $\frac{7}{18} \times 9$

❺ $2\frac{3}{7} \times 21$

❻ $2\frac{4}{9} \times 6$

❼ $1\frac{7}{10} \times 4$

❽ $1\frac{1}{15} \times 10$

❾ $36 \times \frac{3}{4}$

❿ $32 \times \frac{7}{8}$

⓫ $35 \times \frac{5}{14}$

⓬ $24 \times \frac{13}{18}$

⓭ $10 \times \frac{11}{24}$

⓮ $6 \times 1\frac{5}{13}$

⓯ $12 \times 1\frac{3}{20}$

⓰ $5 \times 1\frac{6}{25}$

⓱ $12 \times 3\frac{3}{4}$

⓲ $6 \times 3\frac{1}{8}$

2
분수의 곱셈

60

🐻 빈칸에 알맞은 기약분수를 써넣으세요.

⑲ $\dfrac{5}{8}$ → ×12 → ☐

⑳ $\dfrac{8}{9}$ → ×15 → ☐

㉑ $2\dfrac{4}{7}$ → ×28 → ☐

㉒ $3\dfrac{8}{15}$ → ×20 → ☐

㉓ $1\dfrac{7}{12}$ → ×18 → ☐

㉔ 15 → ×$\dfrac{9}{40}$ → ☐

㉕ 12 → ×$\dfrac{4}{15}$ → ☐

㉖ 20 → ×$\dfrac{11}{45}$ → ☐

㉗ 14 → ×$1\dfrac{8}{21}$ → ☐

㉘ 5 → ×$2\dfrac{4}{15}$ → ☐

㉙ 16 → ×$1\dfrac{5}{8}$ → ☐

㉚ 9 → ×$1\dfrac{5}{7}$ → ☐

제한 시간 안에 정확하게
모두 풀었다면 여러분은 진정한 **계산왕!**

(단위분수)×(단위분수)

- $\dfrac{1}{2} \times \dfrac{1}{4}$ 의 계산

$$\dfrac{1}{2} \times \dfrac{1}{4} = \dfrac{1}{2 \times 4} = \dfrac{1}{8}$$

분자는 그대로 1로 두고 분모끼리 곱해요.

계산을 하여 기약분수로 나타내어 보세요.

① $\dfrac{1}{4} \times \dfrac{1}{3} = \dfrac{1}{4 \times \boxed{}} = \dfrac{1}{\boxed{}}$

② $\dfrac{1}{3} \times \dfrac{1}{5} = \dfrac{1}{3 \times \boxed{}} = \dfrac{1}{\boxed{}}$

③ $\dfrac{1}{2} \times \dfrac{1}{6} = \dfrac{1}{2 \times \boxed{}} = \dfrac{1}{\boxed{}}$

④ $\dfrac{1}{7} \times \dfrac{1}{2} = \dfrac{1}{7 \times \boxed{}} = \dfrac{1}{\boxed{}}$

⑤ $\dfrac{1}{5} \times \dfrac{1}{8} = \dfrac{1}{5 \times \boxed{}} = \dfrac{1}{\boxed{}}$

⑥ $\dfrac{1}{9} \times \dfrac{1}{4} = \dfrac{1}{9 \times \boxed{}} = \dfrac{1}{\boxed{}}$

⑦ $\dfrac{1}{15} \times \dfrac{1}{9} = \dfrac{1}{15 \times \boxed{}} = \dfrac{1}{\boxed{}}$

⑧ $\dfrac{1}{11} \times \dfrac{1}{8} = \dfrac{1}{11 \times \boxed{}} = \dfrac{1}{\boxed{}}$

⑨ $\dfrac{1}{13} \times \dfrac{1}{4} = \dfrac{1}{13 \times \boxed{}} = \dfrac{1}{\boxed{}}$

⑩ $\dfrac{1}{14} \times \dfrac{1}{6} = \dfrac{1}{14 \times \boxed{}} = \dfrac{1}{\boxed{}}$

⑪ $\dfrac{1}{2} \times \dfrac{1}{9}$

⑫ $\dfrac{1}{3} \times \dfrac{1}{6}$

⑬ $\dfrac{1}{5} \times \dfrac{1}{4}$

⑭ $\dfrac{1}{6} \times \dfrac{1}{8}$

⑮ $\dfrac{1}{7} \times \dfrac{1}{5}$

⑯ $\dfrac{1}{14} \times \dfrac{1}{8}$

⑰ $\dfrac{1}{13} \times \dfrac{1}{7}$

⑱ $\dfrac{1}{2} \times \dfrac{1}{11}$

⑲ $\dfrac{1}{5} \times \dfrac{1}{16}$

⑳ $\dfrac{1}{8} \times \dfrac{1}{12}$

㉑ $\dfrac{1}{6} \times \dfrac{1}{24}$

㉒ $\dfrac{1}{9} \times \dfrac{1}{17}$

㉓ $\dfrac{1}{15} \times \dfrac{1}{3}$

㉔ $\dfrac{1}{11} \times \dfrac{1}{7}$

㉕ $\dfrac{1}{9} \times \dfrac{1}{9}$

㉖ $\dfrac{1}{18} \times \dfrac{1}{5}$

㉗ $\dfrac{1}{9} \times \dfrac{1}{14}$

㉘ $\dfrac{1}{21} \times \dfrac{1}{12}$

㉙ $\dfrac{1}{11} \times \dfrac{1}{11}$

㉚ $\dfrac{1}{14} \times \dfrac{1}{15}$

㉛ $\dfrac{1}{20} \times \dfrac{1}{30}$

2

분수의 곱셈

63

(단위분수)×(단위분수)

🐻 계산을 하여 기약분수로 나타내어 보세요.

1 $\dfrac{1}{8} \times \dfrac{1}{7}$

2 $\dfrac{1}{5} \times \dfrac{1}{9}$

3 $\dfrac{1}{6} \times \dfrac{1}{5}$

4 $\dfrac{1}{12} \times \dfrac{1}{4}$

5 $\dfrac{1}{15} \times \dfrac{1}{2}$

6 $\dfrac{1}{21} \times \dfrac{1}{3}$

7 $\dfrac{1}{5} \times \dfrac{1}{13}$

8 $\dfrac{1}{9} \times \dfrac{1}{23}$

9 $\dfrac{1}{11} \times \dfrac{1}{15}$

10 $\dfrac{1}{22} \times \dfrac{1}{14}$

11 $\dfrac{1}{30} \times \dfrac{1}{40}$

12 $\dfrac{1}{25} \times \dfrac{1}{14}$

🐻 빈칸에 알맞은 기약분수를 써넣으세요.

13 $\dfrac{1}{5}$ $\times \dfrac{1}{7}$

14 $\dfrac{1}{14}$ $\times \dfrac{1}{8}$

15 $\dfrac{1}{9}$ $\times \dfrac{1}{25}$

16 $\dfrac{1}{13}$ $\times \dfrac{1}{11}$

17 $\dfrac{1}{19}$ $\times \dfrac{1}{21}$

18 $\dfrac{1}{17}$ $\times \dfrac{1}{15}$

두 수의 곱을 기약분수로 나타내어 빈칸에 써넣으세요.

19
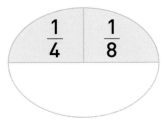

20
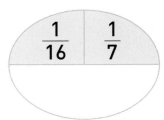

21
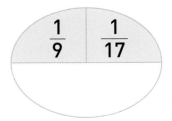

22
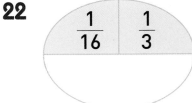

문장 읽고 계산식 세우기

23
쌀 $\frac{1}{8}$ kg의 $\frac{1}{2}$ 을 사용했을 때 사용한 쌀의 무게를 기약분수로 나타내면?

식 　　$\frac{1}{8} \times \frac{1}{2} = \boxed{}$ (kg)

24
콩 $\frac{1}{5}$ kg의 $\frac{1}{4}$ 을 사용했을 때 사용한 콩의 무게를 기약분수로 나타내면?

식 　　$\frac{1}{5} \times \boxed{} = \boxed{}$ (kg)

25
끈 $\frac{1}{6}$ m의 $\frac{1}{5}$ 을 사용했을 때 사용한 끈의 길이를 기약분수로 나타내면?

식 　　$\frac{1}{6} \times \frac{1}{5} = \boxed{}$ (m)

26
끈 $\frac{1}{4}$ m의 $\frac{1}{9}$ 을 사용했을 때 사용한 끈의 길이를 기약분수로 나타내면?

식 　　$\frac{1}{4} \times \boxed{} = \boxed{}$ (m)

(진분수) × (단위분수)

- $\dfrac{3}{4} \times \dfrac{1}{2}$의 계산

$$\dfrac{3}{4} \times \dfrac{1}{2} = \dfrac{3 \times 1}{4 \times 2} = \dfrac{3}{8}$$

(진분수) × (단위분수)는
분자는 분자끼리,
분모는 분모끼리 곱해요.

계산을 하여 기약분수로 나타내어 보세요.

① $\dfrac{4}{7} \times \dfrac{1}{5} = \dfrac{\boxed{} \times 1}{7 \times \boxed{}} = \dfrac{\boxed{}}{\boxed{}}$

② $\dfrac{7}{9} \times \dfrac{1}{4} = \dfrac{\boxed{} \times 1}{9 \times \boxed{}} = \dfrac{\boxed{}}{\boxed{}}$

③ $\dfrac{5}{6} \times \dfrac{1}{3} = \dfrac{\boxed{} \times 1}{6 \times \boxed{}} = \dfrac{\boxed{}}{\boxed{}}$

④ $\dfrac{9}{10} \times \dfrac{1}{2} = \dfrac{\boxed{} \times 1}{10 \times \boxed{}} = \dfrac{\boxed{}}{\boxed{}}$

⑤ $\dfrac{7}{8} \times \dfrac{1}{2} = \dfrac{\boxed{} \times 1}{8 \times \boxed{}} = \dfrac{\boxed{}}{\boxed{}}$

⑥ $\dfrac{4}{5} \times \dfrac{1}{13} = \dfrac{\boxed{} \times 1}{5 \times \boxed{}} = \dfrac{\boxed{}}{\boxed{}}$

⑦ $\dfrac{7}{10} \times \dfrac{1}{\overset{}{\underset{2}{14}}} = \dfrac{1 \times 1}{10 \times \boxed{}} = \dfrac{1}{\boxed{}}$

⑧ $\dfrac{\overset{1}{4}}{7} \times \dfrac{1}{\underset{2}{8}} = \dfrac{1 \times 1}{7 \times \boxed{}} = \dfrac{1}{\boxed{}}$

⑨ $\dfrac{\overset{1}{5}}{6} \times \dfrac{1}{\underset{3}{15}} = \dfrac{\boxed{} \times 1}{6 \times \boxed{}} = \dfrac{\boxed{}}{\boxed{}}$

⑩ $\dfrac{\overset{3}{9}}{14} \times \dfrac{1}{\underset{1}{3}} = \dfrac{\boxed{} \times 1}{14 \times \boxed{}} = \dfrac{\boxed{}}{\boxed{}}$

기초 계산 연습

▶ 정답과 해설 10쪽

⑪ $\dfrac{4}{5} \times \dfrac{1}{7}$

⑫ $\dfrac{3}{10} \times \dfrac{1}{8}$

⑬ $\dfrac{8}{11} \times \dfrac{1}{3}$

⑭ $\dfrac{5}{7} \times \dfrac{1}{9}$

⑮ $\dfrac{4}{15} \times \dfrac{1}{3}$

⑯ $\dfrac{7}{12} \times \dfrac{1}{4}$

⑰ $\dfrac{5}{8} \times \dfrac{1}{20}$

⑱ $\dfrac{3}{13} \times \dfrac{1}{9}$

⑲ $\dfrac{7}{15} \times \dfrac{1}{21}$

⑳ $\dfrac{9}{17} \times \dfrac{1}{12}$

㉑ $\dfrac{4}{7} \times \dfrac{1}{6}$

㉒ $\dfrac{8}{9} \times \dfrac{1}{14}$

㉓ $\dfrac{4}{11} \times \dfrac{1}{14}$

㉔ $\dfrac{5}{18} \times \dfrac{1}{20}$

㉕ $\dfrac{11}{16} \times \dfrac{1}{22}$

㉖ $\dfrac{4}{9} \times \dfrac{1}{8}$

㉗ $\dfrac{16}{21} \times \dfrac{1}{8}$

㉘ $\dfrac{9}{10} \times \dfrac{1}{27}$

㉙ $\dfrac{4}{15} \times \dfrac{1}{10}$

㉚ $\dfrac{9}{16} \times \dfrac{1}{3}$

㉛ $\dfrac{13}{20} \times \dfrac{1}{26}$

(진분수)×(단위분수)

🐻 계산을 하여 기약분수로 나타내어 보세요.

1 $\dfrac{3}{4} \times \dfrac{1}{4}$

2 $\dfrac{7}{18} \times \dfrac{1}{5}$

3 $\dfrac{4}{11} \times \dfrac{1}{8}$

4 $\dfrac{9}{25} \times \dfrac{1}{3}$

5 $\dfrac{13}{19} \times \dfrac{1}{26}$

6 $\dfrac{10}{17} \times \dfrac{1}{20}$

7 $\dfrac{4}{5} \times \dfrac{1}{16}$

8 $\dfrac{8}{13} \times \dfrac{1}{12}$

9 $\dfrac{12}{17} \times \dfrac{1}{20}$

🐻 빈칸에 알맞은 기약분수를 써넣으세요.

10 $\dfrac{3}{14}$ → $\times \dfrac{1}{5}$ → ☐

11 $\dfrac{10}{19}$ → $\times \dfrac{1}{10}$ → ☐

12 $\dfrac{4}{17}$ → $\times \dfrac{1}{8}$ → ☐

13 $\dfrac{5}{9}$ → $\times \dfrac{1}{35}$ → ☐

14 $\dfrac{15}{16}$ → $\times \dfrac{1}{45}$ → ☐

15 $\dfrac{22}{23}$ → $\times \dfrac{1}{44}$ → ☐

16 $\dfrac{8}{13}$ → $\times \dfrac{1}{20}$ → ☐

17 $\dfrac{9}{14}$ → $\times \dfrac{1}{21}$ → ☐

생활 속 계산

🐻 사용한 리본 끈의 길이를 기약분수로 나타내어 보세요.

18

$\dfrac{10}{11}$ m 전체의 $\dfrac{1}{5}$ 만큼 사용했어요.

$$\dfrac{10}{11} \times \dfrac{1}{5} = \boxed{} \text{(m)}$$

19

$\dfrac{8}{9}$ m 전체의 $\dfrac{1}{4}$ 만큼 사용했어요.

$$\dfrac{8}{9} \times \dfrac{1}{4} = \boxed{} \text{(m)}$$

2

분수의 곱셈

문장 읽고 계산식 세우기

20 설탕 $\dfrac{5}{7}$ kg의 $\dfrac{1}{6}$ 만큼은 몇 kg인지 기약분수로 나타내면?

식 $\dfrac{5}{7} \times \dfrac{1}{6} = \boxed{}$ (kg)

21 소금 $\dfrac{7}{8}$ kg의 $\dfrac{1}{7}$ 만큼은 몇 kg인지 기약분수로 나타내면?

식 $\dfrac{7}{8} \times \boxed{} = \boxed{}$ (kg)

69

22 주스 $\dfrac{7}{10}$ L의 $\dfrac{1}{5}$ 만큼은 몇 L인지 기약분수로 나타내면?

식 $\dfrac{7}{10} \times \dfrac{1}{5} = \boxed{}$ (L)

23 우유 $\dfrac{9}{11}$ L의 $\dfrac{1}{3}$ 만큼은 몇 L인지 기약분수로 나타내면?

식 $\dfrac{9}{11} \times \boxed{} = \boxed{}$ (L)

(진분수)×(진분수)

 이렇게 해결하자

• $\dfrac{5}{6} \times \dfrac{3}{4}$ 의 계산

방법 1 분수의 곱셈을 다 한 이후에 약분

$$\dfrac{5}{6} \times \dfrac{3}{4} = \dfrac{5 \times 3}{6 \times 4} = \dfrac{\overset{5}{15}}{\underset{8}{24}} = \dfrac{5}{8}$$

방법 2 분수의 곱셈을 하는 과정에서 약분

$$\dfrac{5}{\underset{2}{6}} \times \dfrac{\overset{1}{3}}{4} = \dfrac{5}{8}$$

약분을 할 때 분모끼리, 분자끼리 약분하지 않도록 주의해요.

2 계산을 하여 기약분수로 나타내어 보세요.

분수의 곱셈

① $\dfrac{2}{5} \times \dfrac{2}{3} = \dfrac{2 \times \boxed{}}{5 \times \boxed{}} = \dfrac{\boxed{}}{\boxed{}}$

② $\dfrac{2}{7} \times \dfrac{4}{9} = \dfrac{2 \times \boxed{}}{7 \times \boxed{}} = \dfrac{\boxed{}}{\boxed{}}$

③ $\dfrac{2}{\underset{1}{7}} \times \dfrac{\overset{2}{14}}{15} = \dfrac{\boxed{}}{\boxed{}}$

④ $\dfrac{\overset{3}{9}}{13} \times \dfrac{5}{\underset{4}{12}} = \dfrac{\boxed{}}{\boxed{}}$

⑤ $\dfrac{5}{\underset{2}{8}} \times \dfrac{\overset{\boxed{}}{4}}{7} = \dfrac{\boxed{}}{\boxed{}}$

⑥ $\dfrac{\overset{\boxed{}}{9}}{14} \times \dfrac{5}{\underset{2}{6}} = \dfrac{\boxed{}}{\boxed{}}$

⑦ $\dfrac{7}{\underset{3}{33}} \times \dfrac{\overset{\boxed{}}{11}}{13} = \dfrac{\boxed{}}{\boxed{}}$

⑧ $\dfrac{\overset{1}{5}}{\underset{3}{6}} \times \dfrac{2}{\underset{3}{15}} = \dfrac{\boxed{}}{\boxed{}}$

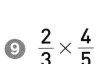
⑨ $\dfrac{2}{3} \times \dfrac{4}{5}$

⑩ $\dfrac{5}{9} \times \dfrac{4}{7}$

⑪ $\dfrac{8}{13} \times \dfrac{2}{5}$

⑫ $\dfrac{2}{9} \times \dfrac{3}{5}$

⑬ $\dfrac{7}{11} \times \dfrac{3}{10}$

⑭ $\dfrac{5}{6} \times \dfrac{4}{15}$

⑮ $\dfrac{2}{3} \times \dfrac{13}{22}$

⑯ $\dfrac{3}{14} \times \dfrac{5}{9}$

⑰ $\dfrac{8}{11} \times \dfrac{7}{10}$

⑱ $\dfrac{3}{8} \times \dfrac{4}{11}$

⑲ $\dfrac{4}{7} \times \dfrac{3}{4}$

⑳ $\dfrac{10}{21} \times \dfrac{7}{24}$

㉑ $\dfrac{2}{5} \times \dfrac{10}{11}$

㉒ $\dfrac{5}{12} \times \dfrac{4}{25}$

㉓ $\dfrac{3}{5} \times \dfrac{20}{23}$

㉔ $\dfrac{14}{39} \times \dfrac{13}{21}$

㉕ $\dfrac{3}{20} \times \dfrac{6}{11}$

㉖ $\dfrac{4}{15} \times \dfrac{3}{16}$

㉗ $\dfrac{7}{15} \times \dfrac{5}{14}$

㉘ $\dfrac{15}{16} \times \dfrac{8}{9}$

㉙ $\dfrac{5}{6} \times \dfrac{9}{14}$

2

분수의 곱셈

71

(진분수)×(진분수)

🐻 계산을 하여 기약분수로 나타내어 보세요.

1 $\dfrac{4}{5} \times \dfrac{7}{8}$

2 $\dfrac{3}{5} \times \dfrac{9}{10}$

3 $\dfrac{2}{15} \times \dfrac{21}{40}$

4 $\dfrac{7}{8} \times \dfrac{10}{13}$

5 $\dfrac{11}{15} \times \dfrac{5}{12}$

6 $\dfrac{5}{7} \times \dfrac{3}{20}$

7 $\dfrac{6}{13} \times \dfrac{11}{12}$

8 $\dfrac{9}{28} \times \dfrac{14}{17}$

9 $\dfrac{5}{36} \times \dfrac{9}{20}$

🐻 빈칸에 알맞은 기약분수를 써넣으세요.

10 $\dfrac{5}{6} \times \dfrac{5}{7} = \boxed{}$

11 $\dfrac{5}{8} \times \dfrac{3}{10} = \boxed{}$

12 $\dfrac{5}{12} \times \dfrac{16}{21} = \boxed{}$

13 $\dfrac{9}{20} \times \dfrac{10}{13} = \boxed{}$

14 $\dfrac{16}{27} \times \dfrac{9}{28} = \boxed{}$

15 $\dfrac{11}{14} \times \dfrac{28}{55} = \boxed{}$

2 분수의 곱셈

플러스 계산 연습

▶ 정답과 해설 11쪽

16 $\dfrac{15}{16} \times \dfrac{3}{10} = $

17 $\dfrac{28}{31} \times \dfrac{6}{7} = $

생활 속 계산

사용한 곡식의 무게는 몇 kg인지 기약분수로 나타내어 보세요.

18  $\dfrac{14}{15}$ kg 전체의 $\dfrac{5}{7}$ 만큼을 사용했어요.

$$\dfrac{14}{15} \times \dfrac{5}{7} = \boxed{} \text{(kg)}$$

19  $\dfrac{11}{13}$ kg 전체의 $\dfrac{13}{22}$ 만큼을 사용했어요.

$$\dfrac{11}{13} \times \dfrac{13}{22} = \boxed{} \text{(kg)}$$

문장 읽고 계산식 세우기

20 가로가 $\dfrac{4}{5}$ m, 세로가 $\dfrac{3}{8}$ m인 직사각형의 넓이를 기약분수로 나타내면?

식 $\dfrac{4}{5} \times \dfrac{3}{8} = \boxed{} \text{(m}^2\text{)}$

21 가로가 $\dfrac{5}{7}$ m, 세로가 $\dfrac{8}{15}$ m인 직사각형의 넓이를 기약분수로 나타내면?

식 $\dfrac{5}{7} \times \boxed{} = \boxed{} \text{(m}^2\text{)}$

22 밑변이 $\dfrac{5}{9}$ m, 높이가 $\dfrac{6}{11}$ m인 평행사변형의 넓이를 기약분수로 나타내면?

식 $\dfrac{5}{9} \times \dfrac{6}{11} = \boxed{} \text{(m}^2\text{)}$

23 밑변이 $\dfrac{8}{13}$ m, 높이가 $\dfrac{3}{4}$ m인 평행사변형의 넓이를 기약분수로 나타내면?

식 $\dfrac{8}{13} \times \boxed{} = \boxed{} \text{(m}^2\text{)}$

(진분수)×(대분수), (대분수)×(진분수)

이렇게 해결하자

• $\dfrac{4}{5} \times 1\dfrac{3}{4}$ 의 계산

$$\dfrac{4}{5} \times 1\dfrac{3}{4} = \dfrac{\overset{1}{4}}{5} \times \dfrac{7}{\underset{1}{4}} = \dfrac{7}{5} = 1\dfrac{2}{5}$$

대분수를 가분수로 나타낸 다음 약분하여 계산해요.

계산을 하여 기약분수로 나타내어 보세요.

❶ $\dfrac{2}{3} \times 2\dfrac{1}{2} = \dfrac{2}{3} \times \dfrac{\boxed{}}{\underset{1}{2}}$

$\qquad = \dfrac{\boxed{}}{3} = \boxed{}\dfrac{\boxed{}}{\boxed{}}$

❷ $\dfrac{4}{7} \times 1\dfrac{7}{8} = \dfrac{4}{7} \times \dfrac{\boxed{}}{\underset{2}{8}}$

$\qquad = \dfrac{\boxed{}}{14} = \boxed{}\dfrac{\boxed{}}{\boxed{}}$

❸ $\dfrac{9}{20} \times 1\dfrac{1}{6} = \dfrac{9}{20} \times \dfrac{\overset{3}{\boxed{}}}{\underset{2}{6}} = \dfrac{\boxed{}}{\boxed{}}$

❹ $\dfrac{3}{4} \times 1\dfrac{2}{9} = \dfrac{3}{4} \times \dfrac{\overset{1}{\boxed{}}}{\underset{3}{9}} = \dfrac{\boxed{}}{\boxed{}}$

❺ $1\dfrac{4}{7} \times \dfrac{7}{10} = \dfrac{\boxed{}}{\underset{1}{7}} \times \dfrac{\overset{1}{7}}{10}$

$\qquad = \dfrac{\boxed{}}{10} = \boxed{}\dfrac{\boxed{}}{\boxed{}}$

❻ $1\dfrac{11}{12} \times \dfrac{3}{5} = \dfrac{\boxed{}}{\underset{4}{12}} \times \dfrac{\overset{1}{3}}{5}$

$\qquad = \dfrac{\boxed{}}{\boxed{}} = \boxed{}\dfrac{\boxed{}}{\boxed{}}$

❼ $1\dfrac{1}{10} \times \dfrac{5}{8} = \dfrac{\boxed{}}{\underset{2}{10}} \times \dfrac{\overset{1}{5}}{8} = \dfrac{\boxed{}}{\boxed{}}$

❽ $1\dfrac{3}{20} \times \dfrac{8}{11} = \dfrac{\boxed{}}{\underset{5}{20}} \times \dfrac{\overset{2}{8}}{11} = \dfrac{\boxed{}}{\boxed{}}$

2 분수의 곱셈

기초 계산 연습

⑨ $\dfrac{5}{8} \times 1\dfrac{7}{15}$

⑩ $\dfrac{4}{9} \times 1\dfrac{1}{6}$

⑪ $\dfrac{4}{5} \times 1\dfrac{3}{10}$

⑫ $\dfrac{4}{11} \times 1\dfrac{1}{12}$

⑬ $\dfrac{6}{7} \times 2\dfrac{1}{4}$

⑭ $\dfrac{8}{9} \times 1\dfrac{5}{6}$

⑮ $2\dfrac{2}{7} \times \dfrac{5}{8}$

⑯ $\dfrac{7}{15} \times 2\dfrac{7}{9}$

⑰ $1\dfrac{5}{6} \times \dfrac{9}{20}$

⑱ $\dfrac{3}{7} \times 4\dfrac{2}{3}$

⑲ $\dfrac{10}{17} \times 6\dfrac{4}{5}$

⑳ $2\dfrac{5}{8} \times \dfrac{9}{14}$

㉑ $\dfrac{2}{3} \times 1\dfrac{1}{8}$

㉒ $\dfrac{5}{7} \times 1\dfrac{1}{13}$

㉓ $1\dfrac{2}{7} \times \dfrac{4}{15}$

㉔ $\dfrac{4}{15} \times 4\dfrac{2}{7}$

㉕ $1\dfrac{5}{9} \times \dfrac{5}{7}$

㉖ $5\dfrac{5}{11} \times \dfrac{5}{6}$

㉗ $2\dfrac{1}{10} \times \dfrac{5}{6}$

㉘ $3\dfrac{1}{9} \times \dfrac{3}{4}$

㉙ $\dfrac{4}{7} \times 1\dfrac{8}{13}$

2

분수의 곱셈

75

(진분수)×(대분수), (대분수)×(진분수)

🐻 계산을 하여 기약분수로 나타내어 보세요.

1 $\dfrac{5}{8} \times 5\dfrac{1}{3}$

2 $4\dfrac{4}{13} \times \dfrac{2}{7}$

3 $\dfrac{3}{10} \times 1\dfrac{3}{7}$

4 $1\dfrac{5}{9} \times \dfrac{7}{8}$

5 $\dfrac{3}{5} \times 1\dfrac{7}{8}$

6 $1\dfrac{3}{11} \times \dfrac{5}{7}$

7 $\dfrac{7}{12} \times 1\dfrac{3}{21}$

8 $2\dfrac{5}{8} \times \dfrac{6}{7}$

9 $\dfrac{13}{14} \times 2\dfrac{11}{26}$

🐻 빈칸에 알맞은 기약분수를 써넣으세요.

10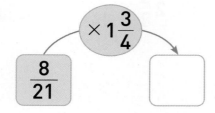

11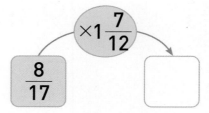

12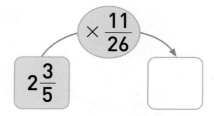

13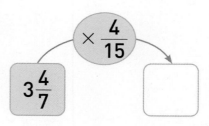

14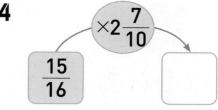

15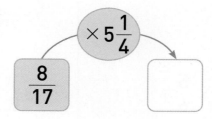

16

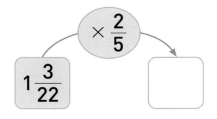

$\times \dfrac{2}{5}$

$1\dfrac{3}{22}$

17

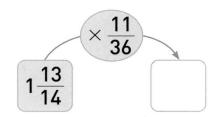

$\times \dfrac{11}{36}$

$1\dfrac{13}{14}$

 사용한 털실의 길이를 기약분수로 나타내어 보세요.

18

$10\dfrac{4}{5}$ m의 $\dfrac{4}{9}$ 를 사용했어요.

$10\dfrac{4}{5} \times \dfrac{4}{9} = \boxed{}$ (m)

19

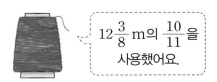

$12\dfrac{3}{8}$ m의 $\dfrac{10}{11}$ 을 사용했어요.

$12\dfrac{3}{8} \times \dfrac{10}{11} = \boxed{}$ (m)

20

주스 $2\dfrac{3}{8}$ L의 $\dfrac{4}{5}$ 만큼 마셨을 때 마신 주스의 양을 기약분수로 나타내면?

식 $2\dfrac{3}{8} \times \dfrac{4}{5} = \boxed{}$ (L)

21

주스 $1\dfrac{5}{9}$ L의 $\dfrac{3}{7}$ 만큼 마셨을 때 마신 주스의 양을 기약분수로 나타내면?

식 $1\dfrac{5}{9} \times \boxed{} = \boxed{}$ (L)

22

물 $3\dfrac{9}{14}$ L의 $\dfrac{7}{17}$ 만큼 사용했을 때 사용한 물의 양을 기약분수로 나타내면?

식 $3\dfrac{9}{14} \times \dfrac{7}{17} = \boxed{}$ (L)

23

물 $5\dfrac{1}{15}$ L의 $\dfrac{3}{4}$ 만큼 사용했을 때 사용한 물의 양을 기약분수로 나타내면?

식 $5\dfrac{1}{15} \times \boxed{} = \boxed{}$ (L)

2

분수의 곱셈

77

(대분수)×(대분수)

이렇게 해결하자

- $1\frac{2}{3} \times 1\frac{2}{5}$의 계산

$$1\frac{2}{3} \times 1\frac{2}{5} = \frac{5}{3} \times \frac{\overset{1}{7}}{\underset{1}{5}} = \frac{7}{3} = 2\frac{1}{3}$$

대분수를 가분수로 나타내어 약분한 후 분자는 분자끼리, 분모는 분모끼리 곱해요.

계산을 하여 기약분수로 나타내어 보세요.

1 $1\frac{1}{2} \times 1\frac{3}{4} = \frac{\square}{2} \times \frac{\square}{4}$
$= \frac{\square}{8} = \square\frac{\square}{\square}$

2 $1\frac{3}{4} \times 2\frac{1}{3} = \frac{\square}{4} \times \frac{\square}{3}$
$= \frac{\square}{12} = \square\frac{\square}{\square}$

3 $2\frac{4}{9} \times 2\frac{2}{5} = \frac{\square}{9} \times \frac{\overset{4}{12}}{\underset{3}{\square}}$
$= \frac{\square}{15} = \square\frac{\square}{\square}$

4 $3\frac{2}{5} \times 3\frac{1}{3} = \frac{\square}{\underset{1}{5}} \times \frac{\overset{2}{10}}{\square}$
$= \frac{\square}{3} = \square\frac{\square}{\square}$

5 $4\frac{2}{7} \times 1\frac{4}{15} = \frac{\overset{2}{30}}{\square} \times \frac{\square}{\underset{1}{15}}$
$= \frac{\square}{7} = \square\frac{\square}{\square}$

6 $1\frac{1}{9} \times 3\frac{1}{2} = \frac{\overset{5}{10}}{\square} \times \frac{\square}{\underset{1}{2}}$
$= \frac{\square}{9} = \square\frac{\square}{\square}$

2 분수의 곱셈

7 $1\dfrac{1}{5} \times 1\dfrac{2}{3}$

8 $1\dfrac{1}{4} \times 2\dfrac{2}{7}$

9 $1\dfrac{7}{8} \times 2\dfrac{3}{10}$

10 $1\dfrac{1}{2} \times 2\dfrac{5}{6}$

11 $2\dfrac{1}{4} \times 1\dfrac{1}{6}$

12 $1\dfrac{2}{7} \times 1\dfrac{3}{8}$

13 $2\dfrac{5}{8} \times 2\dfrac{2}{7}$

14 $3\dfrac{5}{6} \times 2\dfrac{1}{4}$

15 $4\dfrac{1}{2} \times 3\dfrac{1}{3}$

16 $1\dfrac{4}{11} \times 2\dfrac{1}{5}$

17 $2\dfrac{2}{15} \times 1\dfrac{3}{8}$

18 $1\dfrac{7}{9} \times 6\dfrac{3}{4}$

19 $1\dfrac{5}{6} \times 1\dfrac{3}{4}$

20 $2\dfrac{1}{4} \times 3\dfrac{2}{9}$

21 $3\dfrac{2}{5} \times 3\dfrac{1}{3}$

22 $2\dfrac{1}{6} \times 3\dfrac{3}{5}$

23 $4\dfrac{5}{12} \times 1\dfrac{1}{3}$

24 $1\dfrac{7}{8} \times 2\dfrac{2}{15}$

2

분수의 곱셈

79

(대분수)×(대분수)

🐻 계산을 하여 기약분수로 나타내어 보세요.

1 $2\dfrac{3}{4} \times 1\dfrac{1}{2}$

2 $4\dfrac{4}{5} \times 1\dfrac{3}{8}$

3 $1\dfrac{1}{20} \times 1\dfrac{1}{6}$

4 $2\dfrac{2}{3} \times 1\dfrac{3}{4}$

5 $6\dfrac{1}{2} \times 2\dfrac{2}{3}$

6 $3\dfrac{5}{7} \times 1\dfrac{1}{13}$

7 $2\dfrac{3}{8} \times 6\dfrac{2}{5}$

8 $2\dfrac{5}{8} \times 3\dfrac{3}{7}$

9 $1\dfrac{1}{6} \times 6\dfrac{3}{11}$

🐻 빈칸에 알맞은 기약분수를 써넣으세요.

10 $7\dfrac{1}{2} \;\otimes\; 3\dfrac{1}{3} \;=\;$ ☐

11 $1\dfrac{4}{11} \;\otimes\; 2\dfrac{4}{9} \;=\;$ ☐

12 $4\dfrac{1}{2} \;\otimes\; 2\dfrac{5}{6} \;=\;$ ☐

13 $1\dfrac{2}{21} \;\otimes\; 4\dfrac{2}{3} \;=\;$ ☐

14 $1\dfrac{1}{13} \;\otimes\; 4\dfrac{1}{7} \;=\;$ ☐

15 $1\dfrac{5}{9} \;\otimes\; 2\dfrac{1}{3} \;=\;$ ☐

16 $1\dfrac{8}{15} \times 3\dfrac{1}{3} =$

17 $5\dfrac{4}{9} \times 1\dfrac{10}{21} =$

생활 속 계산

잔디밭의 넓이는 몇 m^2인지 기약분수로 나타내어 보세요.

18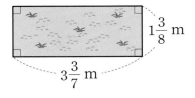

$3\dfrac{3}{7} \times 1\dfrac{3}{8} = \boxed{}$ (m^2)

19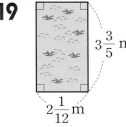

$2\dfrac{1}{12} \times 3\dfrac{3}{5} = \boxed{}$ (m^2)

문장 읽고 계산식 세우기

20 가로가 $1\dfrac{5}{9}$ m, 세로가 $1\dfrac{4}{7}$ m인 직사각형의 넓이를 기약분수로 나타내면?

 $1\dfrac{5}{9} \times 1\dfrac{4}{7} = \boxed{}$ (m^2)

21 가로가 $1\dfrac{1}{2}$ m, 세로가 $3\dfrac{1}{6}$ m인 직사각형의 넓이를 기약분수로 나타내면?

 $1\dfrac{1}{2} \times \boxed{} = \boxed{}$ (m^2)

22 밑변이 $3\dfrac{1}{4}$ m, 높이가 $2\dfrac{2}{5}$ m인 평행사변형의 넓이를 기약분수로 나타내면?

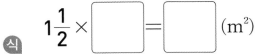 $3\dfrac{1}{4} \times 2\dfrac{2}{5} = \boxed{}$ (m^2)

23 밑변이 $4\dfrac{4}{7}$ m, 높이가 $2\dfrac{7}{8}$ m인 평행사변형의 넓이를 기약분수로 나타내면?

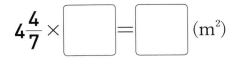 $4\dfrac{4}{7} \times \boxed{} = \boxed{}$ (m^2)

2

분수의 곱셈

81

(분수)×(분수)

- $\dfrac{4}{5} \times \dfrac{3}{8}$의 계산

$$\dfrac{\overset{1}{4}}{5} \times \dfrac{3}{\underset{2}{8}} = \dfrac{3}{10}$$

> 약분을 하여
> 분모는 분모끼리,
> 분자는 분자끼리 곱해요.

- $1\dfrac{3}{4} \times \dfrac{5}{21}$의 계산

$$1\dfrac{3}{4} \times \dfrac{5}{21} = \dfrac{\overset{1}{7}}{4} \times \dfrac{5}{\underset{3}{21}} = \dfrac{5}{12}$$

계산을 하여 기약분수로 나타내어 보세요.

① $\dfrac{1}{8} \times \dfrac{3}{7}$

② $\dfrac{5}{9} \times \dfrac{1}{5}$

③ $\dfrac{7}{13} \times \dfrac{9}{14}$

④ $\dfrac{4}{15} \times \dfrac{3}{8}$

⑤ $\dfrac{8}{35} \times \dfrac{7}{20}$

⑥ $\dfrac{1}{45} \times \dfrac{9}{10}$

⑦ $\dfrac{9}{40} \times \dfrac{1}{18}$

⑧ $\dfrac{1}{9} \times \dfrac{1}{11}$

⑨ $\dfrac{8}{17} \times \dfrac{1}{20}$

⑩ $\dfrac{8}{25} \times \dfrac{5}{32}$

⑪ $\dfrac{1}{35} \times \dfrac{1}{4}$

⑫ $\dfrac{14}{75} \times \dfrac{10}{21}$

⑬ $\dfrac{8}{49} \times \dfrac{7}{16}$

⑭ $\dfrac{9}{20} \times \dfrac{8}{27}$

⑮ $\dfrac{5}{32} \times \dfrac{8}{15}$

⑯ $\dfrac{25}{48} \times 1\dfrac{1}{5}$

⑰ $\dfrac{7}{32} \times 1\dfrac{3}{14}$

⑱ $\dfrac{8}{25} \times 2\dfrac{1}{4}$

⑲ $\dfrac{9}{22} \times 3\dfrac{1}{3}$

⑳ $\dfrac{49}{50} \times 2\dfrac{1}{7}$

㉑ $\dfrac{13}{30} \times 1\dfrac{7}{8}$

㉒ $3\dfrac{4}{7} \times \dfrac{7}{15}$

㉓ $1\dfrac{5}{9} \times \dfrac{3}{7}$

㉔ $2\dfrac{4}{5} \times \dfrac{10}{21}$

㉕ $4\dfrac{3}{8} \times \dfrac{4}{25}$

㉖ $5\dfrac{1}{3} \times \dfrac{7}{8}$

㉗ $1\dfrac{7}{15} \times \dfrac{3}{11}$

㉘ $1\dfrac{7}{8} \times 1\dfrac{1}{5}$

㉙ $2\dfrac{2}{7} \times 1\dfrac{5}{8}$

㉚ $3\dfrac{5}{9} \times 1\dfrac{5}{12}$

㉛ $4\dfrac{1}{3} \times 1\dfrac{1}{26}$

㉜ $2\dfrac{5}{6} \times 2\dfrac{2}{5}$

㉝ $3\dfrac{2}{11} \times 1\dfrac{5}{7}$

2

분수의 곱셈

83

(분수)×(분수)

🐻 계산을 하여 기약분수로 나타내어 보세요.

1 $\dfrac{1}{5} \times \dfrac{7}{12}$

2 $\dfrac{8}{13} \times \dfrac{1}{4}$

3 $\dfrac{9}{16} \times \dfrac{7}{12}$

4 $\dfrac{8}{25} \times \dfrac{5}{24}$

5 $\dfrac{9}{14} \times 1\dfrac{3}{7}$

6 $\dfrac{9}{16} \times 1\dfrac{2}{15}$

7 $1\dfrac{7}{8} \times \dfrac{11}{30}$

8 $4\dfrac{1}{11} \times \dfrac{22}{25}$

9 $1\dfrac{3}{10} \times 2\dfrac{1}{7}$

🐻 빈칸에 알맞은 기약분수를 써넣으세요.

10 $\dfrac{1}{14}$ → $\times \dfrac{1}{7}$ → ☐

11 $\dfrac{1}{9}$ → $\times \dfrac{1}{20}$ → ☐

12 $\dfrac{5}{8}$ → $\times \dfrac{4}{13}$ → ☐

13 $\dfrac{12}{19}$ → $\times \dfrac{5}{6}$ → ☐

14 $1\dfrac{5}{12}$ → $\times \dfrac{3}{34}$ → ☐

15 $2\dfrac{7}{9}$ → $\times \dfrac{8}{15}$ → ☐

16

$1\frac{8}{13}$ → $\times 2\frac{3}{4}$ → ☐

17

$2\frac{8}{17}$ → $\times 1\frac{4}{7}$ → ☐

생활 속 계산

🐻 콩기름 전체의 양을 보고 사용한 콩기름의 양을 기약분수로 나타내어 보세요.

18

전체의 $\frac{5}{6}$만큼 사용했어요.

$5\frac{1}{7}$ L

$$5\frac{1}{7} \times \frac{5}{6} = \boxed{} \text{(L)}$$

19

전체의 $\frac{7}{13}$만큼 사용했어요.

$8\frac{3}{11}$ L

$$8\frac{3}{11} \times \frac{7}{13} = \boxed{} \text{(L)}$$

문장 읽고 계산식 세우기

20

끈 $4\frac{9}{10}$ m의 $\frac{4}{7}$배는 몇 m인지 기약분수로 나타내면?

식 $$4\frac{9}{10} \times \frac{4}{7} = \boxed{} \text{(m)}$$

21

끈 $5\frac{1}{9}$ m의 $1\frac{1}{2}$배는 몇 m인지 기약분수로 나타내면?

식 $$5\frac{1}{9} \times \boxed{} = \boxed{} \text{(m)}$$

22

몸무게 $25\frac{5}{8}$ kg의 $\frac{4}{5}$배는 몇 kg인지 기약분수로 나타내면?

식 $$25\frac{5}{8} \times \frac{4}{5} = \boxed{} \text{(kg)}$$

23

몸무게 $40\frac{4}{5}$ kg의 $\frac{3}{4}$배는 몇 kg인지 기약분수로 나타내면?

식 $$40\frac{4}{5} \times \boxed{} = \boxed{} \text{(kg)}$$

2

분수의 곱셈

85

세 분수의 곱셈

- $\dfrac{5}{7} \times \dfrac{4}{5} \times \dfrac{1}{6}$ 의 계산

$$\dfrac{\overset{1}{5}}{7} \times \dfrac{\overset{2}{4}}{\underset{1}{5}} \times \dfrac{1}{\underset{3}{6}} = \dfrac{1 \times 2 \times 1}{7 \times 1 \times 3} = \dfrac{2}{21}$$

> 약분이 되면 약분을 한 다음 분자는 분자끼리, 분모는 분모끼리 곱해요.

- $1\dfrac{1}{4} \times 3 \times \dfrac{5}{6}$ 의 계산

$$1\dfrac{1}{4} \times 3 \times \dfrac{5}{6} = \dfrac{5}{4} \times 3 \times \dfrac{5}{\underset{2}{6}}^{1}$$

$$= \dfrac{25}{8} = 3\dfrac{1}{8}$$

2

분수의 곱셈

🐻 계산을 하여 기약분수로 나타내어 보세요.

1 $\dfrac{1}{5} \times \dfrac{1}{3} \times \dfrac{1}{4} = \dfrac{1}{5 \times \boxed{} \times 4}$

$$= \dfrac{1}{\boxed{}}$$

2 $\dfrac{1}{8} \times \dfrac{1}{2} \times \dfrac{1}{5} = \dfrac{1}{8 \times \boxed{} \times \boxed{}}$

$$= \dfrac{1}{\boxed{}}$$

3 $\dfrac{\overset{1}{2}}{\underset{1}{7}} \times \dfrac{3}{8} \times \dfrac{\overset{1}{7}}{10} = \dfrac{\boxed{}}{\boxed{}}$

4 $\dfrac{\overset{3}{9}}{14} \times \dfrac{1}{4} \times \dfrac{\overset{1}{7}}{12} = \dfrac{\boxed{}}{\boxed{}}$
$\underset{\boxed{}}{} \quad \underset{\boxed{}}{}$

5 $1\dfrac{1}{4} \times 8 \times \dfrac{2}{7} = \dfrac{\boxed{}}{\underset{1}{4}} \times \overset{2}{8} \times \dfrac{2}{7}$

$$= \dfrac{\boxed{}}{7} = \boxed{}\dfrac{\boxed{}}{\boxed{}}$$

6 $1\dfrac{1}{5} \times 5 \times 1\dfrac{1}{9} = \dfrac{\overset{2}{6}}{\underset{1}{5}} \times \overset{1}{5} \times \dfrac{\boxed{}}{\underset{3}{9}}$

$$= \dfrac{\boxed{}}{\boxed{}} = \boxed{}\dfrac{\boxed{}}{\boxed{}}$$

7 $\dfrac{1}{3} \times \dfrac{1}{4} \times \dfrac{2}{5}$

8 $\dfrac{5}{7} \times \dfrac{1}{5} \times \dfrac{1}{4}$

9 $\dfrac{3}{4} \times \dfrac{1}{2} \times 12$

10 $\dfrac{2}{7} \times 1\dfrac{3}{4} \times 14$

11 $\dfrac{1}{2} \times \dfrac{3}{7} \times \dfrac{5}{6}$

12 $\dfrac{3}{8} \times \dfrac{5}{6} \times \dfrac{1}{3}$

13 $\dfrac{6}{11} \times 3\dfrac{1}{2} \times 1\dfrac{2}{9}$

14 $\dfrac{3}{10} \times 15 \times \dfrac{4}{5}$

15 $3\dfrac{1}{2} \times 2 \times 5\dfrac{1}{6}$

16 $2\dfrac{5}{8} \times 1\dfrac{2}{3} \times 16$

17 $1\dfrac{2}{7} \times \dfrac{1}{9} \times \dfrac{1}{6}$

18 $\dfrac{4}{9} \times \dfrac{7}{8} \times 1\dfrac{2}{3}$

19 $2\dfrac{1}{2} \times 4\dfrac{1}{5} \times 1\dfrac{5}{6}$

20 $2\dfrac{3}{5} \times 15 \times 1\dfrac{1}{9}$

21 $1\dfrac{2}{5} \times 3\dfrac{1}{2} \times 2\dfrac{1}{14}$

22 $2\dfrac{4}{5} \times 10 \times 3\dfrac{2}{7}$

23 $\dfrac{1}{4} \times \dfrac{4}{5} \times 1\dfrac{3}{7}$

24 $1\dfrac{1}{6} \times 5 \times \dfrac{3}{7}$

2

분수의 곱셈

87

세 분수의 곱셈

🐻 계산을 하여 기약분수로 나타내어 보세요.

1 $\dfrac{3}{7} \times \dfrac{3}{10} \times \dfrac{5}{6}$

2 $\dfrac{7}{8} \times \dfrac{5}{6} \times \dfrac{4}{15}$

3 $\dfrac{1}{2} \times \dfrac{5}{9} \times \dfrac{2}{3}$

4 $\dfrac{7}{10} \times 1\dfrac{13}{15} \times 2\dfrac{1}{7}$

5 $2\dfrac{5}{8} \times 6 \times \dfrac{7}{12}$

6 $\dfrac{9}{10} \times 1\dfrac{1}{4} \times 12$

7 $3\dfrac{1}{4} \times \dfrac{13}{18} \times 2\dfrac{1}{13}$

8 $1\dfrac{5}{6} \times \dfrac{7}{15} \times \dfrac{5}{22}$

9 $1\dfrac{7}{20} \times \dfrac{3}{4} \times \dfrac{5}{9}$

🐻 빈칸에 알맞은 기약분수를 써넣으세요.

10

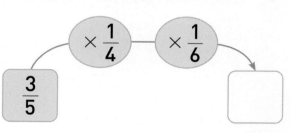

11

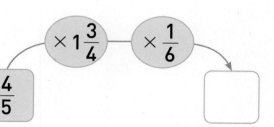

12

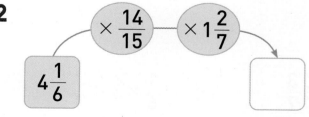

13

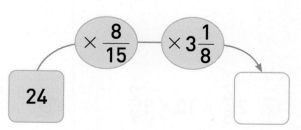

세 수의 곱을 기약분수로 나타내어 보세요.

14 $\dfrac{3}{4}$ $\dfrac{8}{9}$ $\dfrac{5}{6}$

15 $\dfrac{1}{2}$ $\dfrac{4}{5}$ $\dfrac{7}{8}$

16 32 $1\dfrac{2}{9}$ $\dfrac{5}{8}$

17 14 $\dfrac{6}{7}$ $1\dfrac{2}{5}$

18 $1\dfrac{1}{13}$ $3\dfrac{1}{4}$ $8\dfrac{2}{3}$

19 $4\dfrac{1}{12}$ $\dfrac{2}{3}$ $1\dfrac{2}{7}$

문장 읽고 계산식 세우기

20 가로가 $4\dfrac{3}{4}$ cm, 세로가 $2\dfrac{1}{7}$ cm인 직사각형 모양 타일 7장의 넓이를 기약분수로 나타내면?

식 $4\dfrac{3}{4} \times 2\dfrac{1}{7} \times 7 = \boxed{}$ (cm²)

21 가로가 $2\dfrac{1}{5}$ cm, 세로가 $3\dfrac{1}{8}$ cm인 직사각형 모양 타일 4장의 넓이를 기약분수로 나타내면?

식 $2\dfrac{1}{5} \times 3\dfrac{1}{8} \times 4 = \boxed{}$ (cm²)

22 한 변이 $2\dfrac{1}{5}$ cm인 정사각형 모양 타일 15장의 넓이를 기약분수로 나타내면?

식 $2\dfrac{1}{5} \times 2\dfrac{1}{5} \times 15 = \boxed{}$ (cm²)

23 한 변이 $3\dfrac{1}{2}$ cm인 정사각형 모양 타일 6장의 넓이를 기약분수로 나타내면?

식 $3\dfrac{1}{2} \times 3\dfrac{1}{2} \times 6 = \boxed{}$ (cm²)

🐻 계산을 하여 기약분수로 나타내어 보세요.

① $\dfrac{3}{25} \times 5$

② $\dfrac{7}{16} \times 24$

③ $1\dfrac{1}{8} \times 20$

④ $2\dfrac{2}{9} \times 21$

⑤ $15 \times \dfrac{11}{20}$

⑥ $36 \times \dfrac{9}{16}$

⑦ $30 \times 1\dfrac{2}{15}$

⑧ $12 \times 1\dfrac{3}{26}$

⑨ $\dfrac{1}{15} \times \dfrac{1}{9}$

⑩ $\dfrac{1}{8} \times \dfrac{1}{17}$

⑪ $\dfrac{4}{15} \times \dfrac{1}{6}$

⑫ $\dfrac{7}{24} \times \dfrac{1}{14}$

⑬ $\dfrac{3}{8} \times \dfrac{4}{9}$

⑭ $\dfrac{15}{16} \times \dfrac{8}{25}$

⑮ $\dfrac{9}{10} \times 1\dfrac{3}{7}$

⑯ $\dfrac{12}{23} \times 1\dfrac{5}{6}$

⑰ $2\dfrac{3}{8} \times 3\dfrac{1}{9}$

⑱ $5\dfrac{1}{11} \times 2\dfrac{3}{8}$

🐻 빈칸에 알맞은 기약분수를 써넣으세요.

⑲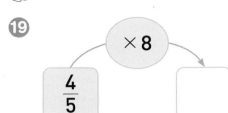

⑳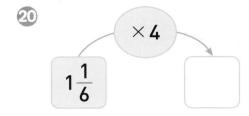

㉑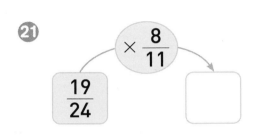

㉒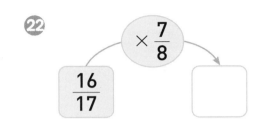

㉓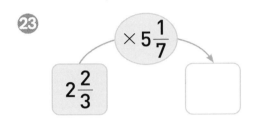

㉔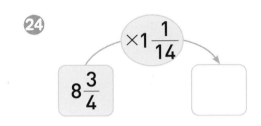

㉕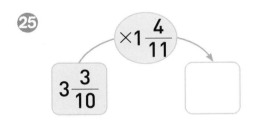

㉖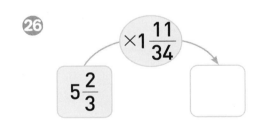

㉗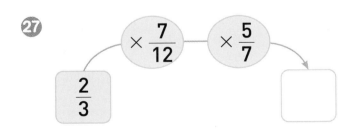

㉘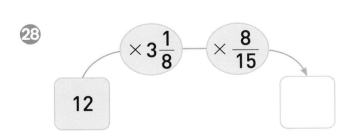

제한 시간 안에 정확하게
모두 풀었다면 여러분은 진정한 **계산왕!**

문장제 문제 도전하기

🐻 계산을 하여 기약분수로 나타내어 보세요.

1 $1\dfrac{1}{20} \times 12 =$ ☐

이 곱셈식이
실생활에서 어떤 상황에
이용될까요?

➡ 오토바이가 일정한 빠르기로 **1**분에 $1\dfrac{1}{20}$ km를 이동할 때 **12**분 동안 갈 수 있는 거리는 몇 km 일까요?

식 $1\dfrac{1}{20} \times$ ☐ $=$ ☐

답 _____ km

2 $45 \times \dfrac{7}{9} =$ ☐

➡ 윤수의 몸무게는 **45** kg이고 민석이의 몸무게는 윤수의 몸무게의 $\dfrac{7}{9}$배일 때 민석이의 몸무게는 몇 kg일까요?

식 $45 \times$ ☐ $=$ ☐

답 _____ kg

3 $\dfrac{15}{17} \times \dfrac{4}{5} =$ ☐

➡ 길이가 $\dfrac{15}{17}$ m인 끈의 $\dfrac{4}{5}$ 만큼을 사용하여 팔찌를 만들었습니다. 팔찌를 만든 끈의 길이는 몇 m일 까요?

식 $\dfrac{15}{17} \times$ ☐ $=$ ☐

답 _____ m

문장을 읽고 알맞은 곱셈식을 세워 답을 구해 보자!

4 오토바이가 일정한 빠르기로 **1**분에 $1\frac{1}{13}$ km를 이동할 때 **14**분 동안 갈 수 있는 거리는 몇 km일까요?

$$1\frac{1}{13} \times \boxed{} = \boxed{} \text{ (km)}$$

5 나영이의 몸무게는 **42** kg이고 혜미의 몸무게는 나영이의 몸무게의 $1\frac{1}{7}$ 배일 때 혜미의 몸무게는 몇 kg일까요?

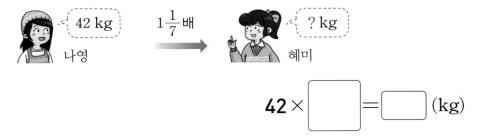

$$42 \times \boxed{} = \boxed{} \text{ (kg)}$$

6 길이가 $\frac{14}{21}$ m인 테이프의 $\frac{6}{7}$ 만큼을 사용하여 리본을 만들었습니다.
리본을 만든 테이프의 길이는 몇 m일까요?

$$\frac{14}{21} \times \boxed{} = \boxed{} \text{ (m)}$$

2

분수의 곱셈

93

문장제 문제 도전하기

🐻 계산을 하여 기약분수로 나타내어 보세요.

7 $1\dfrac{1}{8} \times 24 =$ ☐

이 곱셈식이 실생활에서 어떤 상황에 이용될까요?

→ 한 병에 $1\dfrac{1}{8}$ L씩 담긴 음료수 **24**병은 모두 몇 L일까요?

식 $1\dfrac{1}{8} \times$ ☐ $=$ ☐

답 _____ L

8 $3\dfrac{3}{11} \times 2\dfrac{1}{12} =$ ☐

→ 평행사변형 모양의 잔디밭의 넓이는 몇 m²일까요?

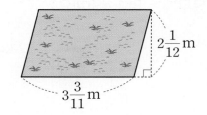

$2\dfrac{1}{12}$ m

$3\dfrac{3}{11}$ m

식 $3\dfrac{3}{11} \times$ ☐ $=$ ☐

답 _____ m²

9 $\dfrac{9}{10} \times 1\dfrac{1}{2} =$ ☐

→ 1분에 $\dfrac{9}{10}$ L씩 일정한 빠르기로 물이 나오는 수도꼭지로 $1\dfrac{1}{2}$분 동안 물을 받으면 받은 물의 양은 모두 몇 L일까요?

식 $\dfrac{9}{10} \times$ ☐ $=$ ☐

답 _____ L

문장을 읽고 알맞은 곱셈식을 세워 답을 구해 보자!

10 한 병에 $1\dfrac{4}{15}$ L씩 담긴 음료수 **10**병은 모두 몇 L일까요?

$1\dfrac{4}{15}$ L   10병 ➡ $1\dfrac{4}{15} \times \boxed{} = \boxed{}$ (L)

11 평행사변형 모양의 잔디밭의 넓이는 몇 m²일까요?

$2\dfrac{3}{7}$ m

$4\dfrac{2}{3}$ m

➡ $4\dfrac{2}{3} \times \boxed{} = \boxed{}$ (m²)

12 1분에 $3\dfrac{4}{9}$ L씩 일정한 빠르기로 물이 나오는 수도꼭지로 $1\dfrac{1}{5}$ 분 동안 물을 받으면 받은 물의 양은 모두 몇 L일까요?

$3\dfrac{4}{9} \times \boxed{} = \boxed{}$ (L)

2

분수의 곱셈

95

창의·융합·코딩·도전하기

비밀번호를 찾아라!

 컴퓨터를 켜려고 하는데 비밀번호가 기억이 나지 않습니다.

 위 ❶, ❷, ❸, ❹에 알맞은 수를 찾아 비밀번호를 알아보자.

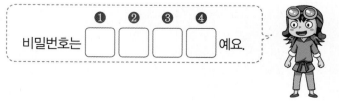

수 카드 중 2장을 사용하여 분수의 곱셈식을 만들려고 합니다.
계산 결과가 가장 큰 식을 만들고, 계산해 보세요.

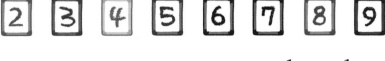

식 $\dfrac{1}{\boxed{}} \times \dfrac{1}{\boxed{}}$

답 _____

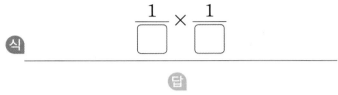 다음은 1분 동안 운동했을 때 소모되는 열량을 나타낸 것입니다.

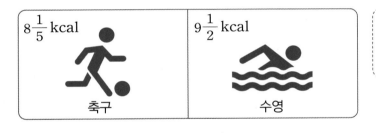

$8\dfrac{1}{5}$ kcal — 축구

$9\dfrac{1}{2}$ kcal — 수영

열량은 체내에서 발생하는 에너지의 양으로 'kcal'라 쓰고 '킬로칼로리'라고 읽어요.

 주어진 시간 동안 운동을 했을 때 소모되는 열량은 몇 kcal인지 기약분수로 나타내어 보세요.

(1) 축구를 15분 동안 했어요.

정우

답 _____ kcal

(2) 수영을 9분 동안 했어요.

우석

답 _____ kcal

3 소수의 곱셈

 실생활에서 알아보는 재미있는 수학 이야기

너희의 가능성을 보고 이걸 주마!

전설의 수학비급이 있는 지도군요!

수학비급은 바다의 요괴의 섬 중심에 보물 상자 안에 있어.

그 보물 상자의 열쇠는 요괴의 섬에 사는 마녀가 가지고 있단다!

마녀는 강한 사람이겠죠?

무시무시한 여자야. 성격도 고약한 마귀 할멈이지.

혹시 아는 분이에요?

너희라면 잘 할 수 있다. 살아오너라~.

죽을 수도 있나? 왜 살아오라고 하시지?

배를 타야 하는 데 너희 뱃멀미 안 해?

뱃멀미 심해.

나도……

뱃멀미에 좋은 약을 만들어 왔어. 짜잔~!

이 컵에 0.6 L를 담아서 한 명씩 마시면 돼.

우리는 3명이니까 모두 몇 L가 필요한 거지?

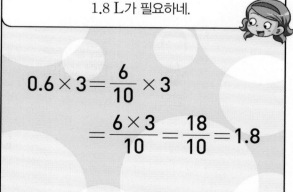

분수의 곱셈으로 계산하니 1.8 L가 필요하네.

$$0.6 \times 3 = \frac{6}{10} \times 3$$
$$= \frac{6 \times 3}{10} = \frac{18}{10} = 1.8$$

이번에 배울 내용을 알아볼까요?

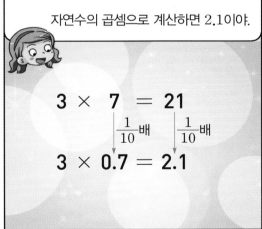

(자연수)×(1보다 작은 소수)

이렇게 해결하자

· 3×0.7의 계산

$$3 \times 7 = 21$$

$\frac{1}{10}$배 $\frac{1}{10}$배

$$3 \times 0.7 = 2.1$$

$$\begin{array}{r} 3 \\ \times\ 7 \\ \hline 2\,1 \end{array} \Rightarrow \begin{array}{r} 3 \\ \times\ 0.7 \\ \hline 2.1 \end{array}$$

계산해 보세요.

3 소수의 곱셈

①
$$\begin{array}{r} 2 \\ \times\ 0.9 \\ \hline \end{array}$$

②
$$\begin{array}{r} 5 \\ \times\ 0.7 \\ \hline \end{array}$$

③
$$\begin{array}{r} 7 \\ \times\ 0.6 \\ \hline \end{array}$$

④
$$\begin{array}{r} 8 \\ \times\ 0.4 \\ \hline \end{array}$$

⑤
$$\begin{array}{r} 9 \\ \times\ 0.8 \\ \hline \end{array}$$

⑥
$$\begin{array}{r} 4 \\ \times\ 0.3 \\ \hline \end{array}$$

⑦
$$\begin{array}{r} 4\,4 \\ \times\ 0.3 \\ \hline \end{array}$$

⑧
$$\begin{array}{r} 5\,3 \\ \times\ 0.2 \\ \hline \end{array}$$

⑨
$$\begin{array}{r} 6\,2 \\ \times\ 0.6 \\ \hline \end{array}$$

⑩
$$\begin{array}{r} 1\,2 \\ \times\ 0.4 \\ \hline \end{array}$$

⑪
$$\begin{array}{r} 2\,5 \\ \times\ 0.5 \\ \hline \end{array}$$

⑫
$$\begin{array}{r} 3\,2 \\ \times\ 0.7 \\ \hline \end{array}$$

기초 계산 연습

⑬
```
          3
×  0 . 1 2
```

⑭
```
          4
×  0 . 1 7
```

⑮
```
          7
×  0 . 0 4
```

⑯
```
          8
×  0 . 1 6
```

⑰
```
          5
×  0 . 0 7
```

⑱
```
          4
×  0 . 3 8
```

⑲
```
          5
×  0 . 2 3
```

⑳
```
          6
×  0 . 5 2
```

㉑
```
          5
×  0 . 7 3
```

㉒
```
        2 3
×  0 . 1 2
```

㉓
```
        1 3
×  0 . 3 6
```

㉔
```
        4 1
×  0 . 7 5
```

㉕
```
        3 7
×  0 . 4 2
```

㉖
```
        1 6
×  0 . 3 7
```

㉗
```
        5 4
×  0 . 5 3
```

3

소수의 곱셈

101

(자연수)×(1보다 작은 소수)

🐻 계산해 보세요.

1 5 × 0.5

2 4 × 0.9

3 9 × 0.6

4 17 × 0.7

5 52 × 0.4

6 32 × 0.8

7 2 × 0.31

8 4 × 0.63

9 7 × 0.23

10 26 × 0.12

11 32 × 0.23

12 53 × 0.25

🐻 빈칸에 알맞은 수를 써넣으세요.

13 9 ×0.5

14 8 ×0.74

15 14 ×0.7

16 6 ×0.48

17 24 ×0.9

18 43 ×0.25

🐻 주어진 높이에서 공을 떨어뜨렸습니다. 공이 처음으로 튀어오른 높이를 구하세요.

19
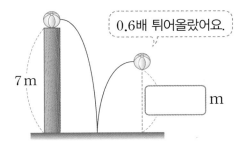
7 m — 0.6배 튀어올랐어요. — m

20
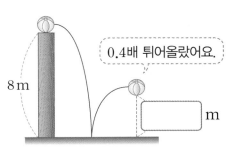
8 m — 0.4배 튀어올랐어요. — m

21
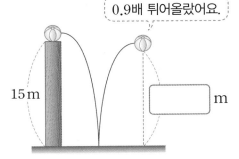
15 m — 0.9배 튀어올랐어요. — m

22
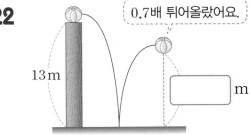
13 m — 0.7배 튀어올랐어요. — m

23
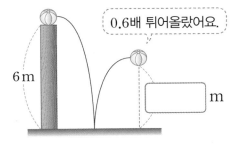
6 m — 0.6배 튀어올랐어요. — m

24
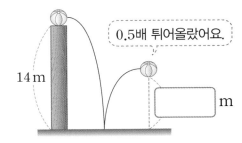
14 m — 0.5배 튀어올랐어요. — m

3
소수의 곱셈

103

문장 읽고 계산식 세우기

25 길이가 240 cm인 색 테이프의 0.6배만큼 사용했다면 사용한 색 테이프의 길이는 몇 cm?

식  240 × ☐ = ☐ (cm)

26 길이가 2 m인 리본 테이프의 0.73배만큼 사용했다면 사용한 리본 테이프의 길이는 몇 m?

식 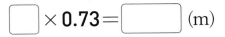 ☐ × 0.73 = ☐ (m)

27 우유를 3 L의 0.9배만큼 마셨다면 마신 우유는 몇 L?

식 3 × ☐ = ☐ (L)

28 간장을 500 mL의 0.49배만큼 사용했다면 사용한 간장은 몇 mL?

식 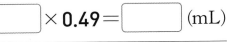 ☐ × 0.49 = ☐ (mL)

(자연수)×(1보다 큰 소수)

- 6×1.4의 계산

$$6 \times 14 = 84$$

$\frac{1}{10}$배 $\frac{1}{10}$배

$$6 \times 1.4 = 8.4$$

$$\begin{array}{r} 6 \\ \times\ 14 \\ \hline 84 \end{array} \rightarrow \begin{array}{r} 6 \\ \times\ 1.4 \\ \hline 8.4 \end{array}$$

계산해 보세요.

❶
$$\begin{array}{r} 2 \\ \times\ 1.3 \\ \hline \end{array}$$

❷
$$\begin{array}{r} 3 \\ \times\ 3.2 \\ \hline \end{array}$$

❸
$$\begin{array}{r} 4 \\ \times\ 2.1 \\ \hline \end{array}$$

❹
$$\begin{array}{r} 6 \\ \times\ 1.2 \\ \hline \end{array}$$

❺
$$\begin{array}{r} 3 \\ \times\ 4.1 \\ \hline \end{array}$$

❻
$$\begin{array}{r} 5 \\ \times\ 5.5 \\ \hline \end{array}$$

❼
$$\begin{array}{r} 23 \\ \times\ 1.1 \\ \hline \end{array}$$

❽
$$\begin{array}{r} 16 \\ \times\ 1.4 \\ \hline \end{array}$$

❾
$$\begin{array}{r} 12 \\ \times\ 3.4 \\ \hline \end{array}$$

❿
$$\begin{array}{r} 36 \\ \times\ 4.3 \\ \hline \end{array}$$

⓫
$$\begin{array}{r} 17 \\ \times\ 8.6 \\ \hline \end{array}$$

⓬
$$\begin{array}{r} 41 \\ \times\ 2.8 \\ \hline \end{array}$$

⑬
```
          3
×   2 . 3 2
```

⑭
```
          5
×   1 . 2 7
```

⑮
```
          7
×   1 . 1 8
```

⑯
```
          6
×   1 . 4 3
```

⑰
```
          4
×   1 . 9 2
```

⑱
```
          9
×   1 . 3 3
```

⑲
```
          8
×   1 . 1 6
```

⑳
```
          7
×   2 . 0 4
```

㉑
```
          2
×   9 . 5 4
```

㉒
```
       1  5
×   1 . 2 1
```

㉓
```
       3  1
×   2 . 1 4
```

㉔
```
       2  7
×   3 . 2 3
```

㉕
```
       2  1
×   2 . 4 8
```

㉖
```
       5  1
×   1 . 2 8
```

㉗
```
       1  2
×   1 . 6 3
```

3

소수의 곱셈

105

(자연수)×(1보다 큰 소수)

🐻 계산해 보세요.

1 3 × 1.5

2 4 × 2.8

3 9 × 1.6

4 17 × 2.3

5 25 × 1.9

6 32 × 4.3

7 4 × 2.37

8 7 × 1.64

9 9 × 3.22

10 16 × 1.32

11 23 × 3.24

12 42 × 2.27

🐻 빈칸에 두 수의 곱을 써넣으세요.

13

2	4.8

14

9	1.4

15

3	4.05

16

13	6.5

17

14	3.6

18

15	2.7

19

11	2.67

20

21	3.14

21

16	1.32

소수의 곱셈

3

플러스 계산 연습

생활 속 계산

 집에서 학교까지의 거리는 몇 km인지 구하세요.

22

$2 \times \boxed{} = \boxed{}$ (km)

23
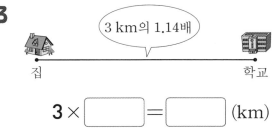

$3 \times \boxed{} = \boxed{}$ (km)

24
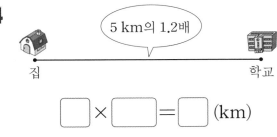

$\boxed{} \times \boxed{} = \boxed{}$ (km)

25
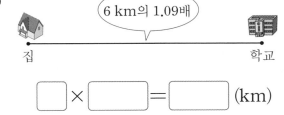

$\boxed{} \times \boxed{} = \boxed{}$ (km)

문장 읽고 계산식 세우기

26 5의 2.9배인 수는?

 $5 \times \boxed{} = \boxed{}$

27 13의 2.48배인 수는?

 $\boxed{} \times 2.48 = \boxed{}$

28 굵기가 일정한 철근 1 m의 무게가 7 kg일 때 철근 2.4 m의 무게는 몇 kg?

 $7 \times \boxed{} = \boxed{}$ (kg)

29 고양이의 무게가 6 kg이고 강아지의 무게는 고양이의 무게의 1.26배라면 강아지의 무게는 몇 kg?

 $\boxed{} \times 1.26 = \boxed{}$ (kg)

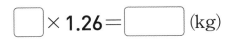

(1보다 작은 소수)×(자연수)

• 0.6×3의 계산

방법 1 분수의 곱셈으로 계산하기

$$0.6 \times 3 = \frac{6}{10} \times 3 = \frac{6 \times 3}{10} = \frac{18}{10} = 1.8$$

방법 2 자연수의 곱셈으로 계산하기

$$6 \times 3 = 18$$
$$\downarrow \tfrac{1}{10}배 \qquad \downarrow \tfrac{1}{10}배$$
$$0.6 \times 3 = 1.8$$

$$\begin{array}{r} 6 \\ \times\ 3 \\ \hline 1\,8 \end{array} \rightarrow \begin{array}{r} 0.6 \\ \times\ 3 \\ \hline 1.8 \end{array}$$

소수점을 맞추어 찍어야 해요.

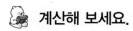

계산해 보세요.

①
$$\begin{array}{r} 0.7 \\ \times\quad 4 \\ \hline \end{array}$$

②
$$\begin{array}{r} 0.3 \\ \times\quad 5 \\ \hline \end{array}$$

③
$$\begin{array}{r} 0.8 \\ \times\quad 2 \\ \hline \end{array}$$

④
$$\begin{array}{r} 0.6 \\ \times\quad 7 \\ \hline \end{array}$$

⑤
$$\begin{array}{r} 0.9 \\ \times\quad 5 \\ \hline \end{array}$$

⑥
$$\begin{array}{r} 0.4 \\ \times\quad 3 \\ \hline \end{array}$$

⑦
$$\begin{array}{r} 0.5 \\ \times\ 2\ 9 \\ \hline \end{array}$$

⑧
$$\begin{array}{r} 0.7 \\ \times\ 1\ 2 \\ \hline \end{array}$$

⑨
$$\begin{array}{r} 0.3 \\ \times\ 1\ 8 \\ \hline \end{array}$$

⑩
$$\begin{array}{r} 0.2 \\ \times\ 4\ 9 \\ \hline \end{array}$$

⑪
$$\begin{array}{r} 0.5 \\ \times\ 3\ 7 \\ \hline \end{array}$$

⑫
$$\begin{array}{r} 0.3 \\ \times\ 1\ 3 \\ \hline \end{array}$$

기초 계산 연습

⑬
$$
\begin{array}{r}
0.69 \\
\times \quad\ \ 2 \\
\hline
\end{array}
$$

⑭
$$
\begin{array}{r}
0.83 \\
\times \quad\ \ 2 \\
\hline
\end{array}
$$

⑮
$$
\begin{array}{r}
0.45 \\
\times \quad\ \ 5 \\
\hline
\end{array}
$$

⑯
$$
\begin{array}{r}
0.63 \\
\times \quad\ \ 2 \\
\hline
\end{array}
$$

⑰
$$
\begin{array}{r}
0.92 \\
\times \quad\ \ 4 \\
\hline
\end{array}
$$

⑱
$$
\begin{array}{r}
0.13 \\
\times \quad\ \ 6 \\
\hline
\end{array}
$$

⑲
$$
\begin{array}{r}
0.21 \\
\times \quad\ \ 8 \\
\hline
\end{array}
$$

⑳
$$
\begin{array}{r}
0.34 \\
\times \quad\ \ 2 \\
\hline
\end{array}
$$

㉑
$$
\begin{array}{r}
0.74 \\
\times \quad\ \ 4 \\
\hline
\end{array}
$$

㉒
$$
\begin{array}{r}
0.34 \\
\times \quad\ \ 7 \\
\hline
\end{array}
$$

㉓
$$
\begin{array}{r}
0.93 \\
\times \quad\ \ 3 \\
\hline
\end{array}
$$

㉔
$$
\begin{array}{r}
0.76 \\
\times \quad\ \ 2 \\
\hline
\end{array}
$$

㉕
$$
\begin{array}{r}
0.27 \\
\times \quad 12 \\
\hline
\end{array}
$$

㉖
$$
\begin{array}{r}
0.42 \\
\times \quad 13 \\
\hline
\end{array}
$$

㉗
$$
\begin{array}{r}
0.29 \\
\times \quad 24 \\
\hline
\end{array}
$$

㉘
$$
\begin{array}{r}
0.35 \\
\times \quad 17 \\
\hline
\end{array}
$$

㉙
$$
\begin{array}{r}
0.62 \\
\times \quad 48 \\
\hline
\end{array}
$$

㉚
$$
\begin{array}{r}
0.28 \\
\times \quad 16 \\
\hline
\end{array}
$$

3

소수의 곱셈

(1보다 작은 소수)×(자연수)

🐻 계산해 보세요.

1 0.7×4

2 0.6×6

3 0.3×7

4 0.4×14

5 0.9×33

6 0.4×28

7 0.16×4

8 0.42×3

9 0.72×3

10 0.83×13

11 0.51×49

12 0.47×26

🐻 빈칸에 알맞은 수를 써넣으세요.

13
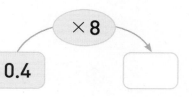
0.4 ×8

14
0.9 ×4

15

0.5 ×7

16
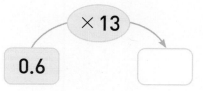
0.6 ×13

17
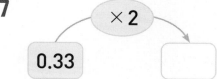
0.33 ×2

18

0.53 ×17

플러스 계산 연습

생활 속 계산

🐻 한 개의 무게가 다음과 같은 물건의 무게는 모두 몇 kg인지 구하세요.

(단, 물건의 무게는 각각 모두 일정합니다.)

19 가방: 0.5 kg

➡ ☐ × 5 = ☐ (kg)

20 토끼 인형: 0.18 kg

➡ 0.18 × ☐ = ☐ (kg)

21 비누: 0.3 kg

➡ ☐ × ☐ = ☐ (kg)

22 쿠키: 0.14 kg

➡ ☐ × ☐ = ☐ (kg)

문장 읽고 계산식 세우기

23 0.8을 6번 더한 것을 곱셈식으로 나타내면?

식 0.8 × ☐ = ☐

24 0.29를 4번 더한 것을 곱셈식으로 나타내면?

식 ☐ × 4 = ☐

25 0.9의 8배인 수는?

식 0.9 × ☐ = ☐

26 0.12의 6배인 수는?

식 ☐ × 6 = ☐

27 미리는 우유를 0.6 L씩 7일 동안 마셨다면 미리가 마신 우유는 모두 몇 L?

식 ☐ × ☐ = ☐ (L)

28 선우가 초콜릿을 0.45 kg씩 5일 동안 먹었다면 선우가 먹은 초콜릿은 모두 몇 kg?

식 ☐ × ☐ = ☐ (kg)

3

소수의 곱셈

111

(1보다 큰 소수)×(자연수)

 이렇게 해결하자

· 1.3 × 8의 계산

$$13 \times 8 = 104$$

$\frac{1}{10}$배 ↓   ↓ $\frac{1}{10}$배

$$1.3 \times 8 = 10.4$$

$$
\begin{array}{r}
1\ 3 \\
\times\ \ \ 8 \\
\hline
1\ 0\ 4
\end{array}
\rightarrow
\begin{array}{r}
1.3 \\
\times\ \ 8 \\
\hline
1\ 0.4
\end{array}
$$

계산해 보세요.

❶
$$
\begin{array}{r}
1.2 \\
\times\ \ \ 4 \\
\hline
\end{array}
$$

❷
$$
\begin{array}{r}
2.3 \\
\times\ \ \ 3 \\
\hline
\end{array}
$$

❸
$$
\begin{array}{r}
3.2 \\
\times\ \ \ 2 \\
\hline
\end{array}
$$

❹
$$
\begin{array}{r}
1.8 \\
\times\ \ \ 4 \\
\hline
\end{array}
$$

❺
$$
\begin{array}{r}
4.1 \\
\times\ \ \ 2 \\
\hline
\end{array}
$$

❻
$$
\begin{array}{r}
2.4 \\
\times\ \ \ 3 \\
\hline
\end{array}
$$

❼
$$
\begin{array}{r}
5.3 \\
\times\ \ \ 7 \\
\hline
\end{array}
$$

❽
$$
\begin{array}{r}
2.8 \\
\times\ \ \ 6 \\
\hline
\end{array}
$$

❾
$$
\begin{array}{r}
5.7 \\
\times\ \ \ 5 \\
\hline
\end{array}
$$

❿
$$
\begin{array}{r}
6.4 \\
\times\ \ 1\ 4 \\
\hline
\end{array}
$$

⓫
$$
\begin{array}{r}
8.3 \\
\times\ \ 4\ 3 \\
\hline
\end{array}
$$

⓬
$$
\begin{array}{r}
7.2 \\
\times\ \ 3\ 8 \\
\hline
\end{array}
$$

⑬
```
        3 . 6
  ×     2 3
```

⑭
```
        4 . 3
  ×     1 1
```

⑮
```
        2 . 3
  ×     1 2
```

⑯
```
      2 . 2 3
  ×         3
```

⑰
```
      1 . 2 4
  ×         4
```

⑱
```
      3 . 4 5
  ×         7
```

⑲
```
      7 . 6 3
  ×         5
```

⑳
```
      3 . 2 5
  ×         9
```

㉑
```
      9 . 2 6
  ×         2
```

㉒
```
      4 . 5 3
  ×       1 4
```

㉓
```
      1 . 2 5
  ×       1 5
```

㉔
```
      5 . 2 9
  ×       1 3
```

㉕
```
      4 . 3 8
  ×       1 8
```

㉖
```
      3 . 6 2
  ×       2 7
```

㉗
```
      6 . 0 2
  ×       1 6
```

(1보다 큰 소수)×(자연수)

🐻 계산해 보세요.

1 1.7×4

2 2.6×3

3 3.4×2

4 5.8×14

5 6.5×23

6 4.5×29

7 2.12×3

8 5.42×6

9 3.87×5

10 3.26×24

11 4.53×18

12 6.45×23

🐻 빈칸에 알맞은 수를 써넣으세요.

13 3.4 → ×2 → □

14 5.9 → ×5 → □

15 4.3 → ×11 → □

16 6.44 → ×3 → □

17 2.84 → ×7 → □

18 3.12 → ×13 → □

플러스 계산 연습

🐻 빈칸에 알맞은 수를 써넣으세요.

19 ⊗ → → 5.7 × 6

| 5.7 | 6 | |
| 1.9 | 16 | |

20 ⊗ →

| 1.27 | 5 | |
| 4.36 | 9 | |

21 ⊗ →

| 7.2 | 7 | |
| 1.07 | 12 | |

22 ⊗ →

| 2.84 | 4 | |
| 6.58 | 14 | |

생활 속 계산

🐻 다음은 1분 동안 운동했을 때 소모되는 열량을 나타낸 것입니다. 주어진 시간 동안 운동을 했을 때 소모되는 열량을 구하세요.
→ 체내에서 발생하는 에너지를 말하며 kcal(킬로칼로리)를 단위로 사용합니다.

종류	축구	수영	요가	줄넘기
소모 열량 (kcal)	8.4	9.5	2.8	5.7

3

소수의 곱셈

115

23 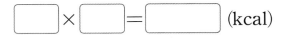 줄넘기를 20분 동안 했어.

$5.7 \times 20 =$ ☐ (kcal)

24 수영을 45분 동안 했어.

☐ × ☐ = ☐ (kcal)

문장 읽고 계산식 세우기

25 길이가 8.4 m인 색 테이프가 6개 있다면 색 테이프의 전체 길이는 몇 m?

 $8.4 \times$ ☐ = ☐ (m)

26 가로가 4.57 m, 세로가 5 m인 직사각형 모양의 화단의 넓이는 몇 m²?

 ☐ × 5 = ☐ (m²)

🐻 계산해 보세요.

① 8 × 0.7

② 17 × 0.5

③ 65 × 0.3

④ 9 × 0.41

⑤ 3 × 4.6

⑥ 27 × 5.2

⑦ 8 × 3.04

⑧ 42 × 2.76

⑨ 0.3 × 9

⑩ 0.8 × 9

⑪ 0.4 × 22

⑫ 0.9 × 13

⑬ 0.28 × 6

⑭ 0.63 × 5

⑮ 0.42 × 13

⑯ 5.3 × 7

⑰ 3.6 × 23

⑱ 6.1 × 12

⑲ 1.24 × 8

⑳ 4.26 × 2

㉑ 1.67 × 12

 빈칸에 알맞은 수를 써넣으세요.

㉒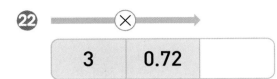

| 3 | 0.72 | |

㉓

| 26 | 0.2 | |

㉔

| 12 | 0.26 | |

㉕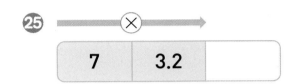

| 7 | 3.2 | |

㉖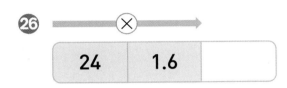

| 24 | 1.6 | |

㉗

| 12 | 5.21 | |

㉘

| 0.4 | 3 | |

㉙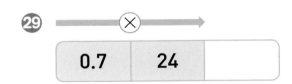

| 0.7 | 24 | |

㉚

| 0.35 | 9 | |

㉛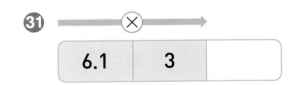

| 6.1 | 3 | |

㉜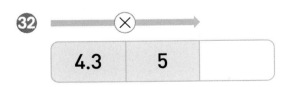

| 4.3 | 5 | |

㉝

| 5.7 | 22 | |

3

소수의 곱셈

117

제한 시간 안에 정확하게
모두 풀었다면 여러분은 진정한 **계산왕!**

5 일차 자릿수가 같은 1보다 작은 소수끼리의 곱셈

이렇게 해결하자

• 0.4 × 0.7의 계산

$$4 \times 7 = 28$$

$\frac{1}{10}$배 $\frac{1}{10}$배 $\frac{1}{100}$배

$$0.4 \times 0.7 = 0.28$$

	4	0.4 |→ 소수 한 자리 수
×	7	× 0.7 |→ 소수 한 자리 수
	2 8	0.2 8 |→ 소수 두 자리 수

3

소수의 곱셈

계산해 보세요.

①
```
    0 . 3
  × 0 . 9
```

②
```
    0 . 2
  × 0 . 2
```

③
```
    0 . 1
  × 0 . 5
```

④
```
    0 . 8
  × 0 . 4
```

⑤
```
    0 . 9
  × 0 . 6
```

⑥
```
    0 . 2
  × 0 . 9
```

⑦
```
    0 . 4
  × 0 . 3
```

⑧
```
    0 . 7
  × 0 . 6
```

⑨
```
    0 . 2
  × 0 . 4
```

⑩
```
    0 . 8
  × 0 . 7
```

⑪
```
    0 . 5
  × 0 . 9
```

⑫
```
    0 . 3
  × 0 . 7
```

118

기초 계산 연습

⑬
```
    0 . 2 9
×   0 . 3 5
```

⑭
```
    0 . 5 5
×   0 . 7 1
```

⑮
```
    0 . 4 7
×   0 . 5 6
```

⑯
```
    0 . 7 1
×   0 . 2 4
```

⑰
```
    0 . 5 3
×   0 . 5 2
```

⑱
```
    0 . 3 2
×   0 . 1 7
```

⑲
```
    0 . 3 4
×   0 . 1 9
```

⑳
```
    0 . 7 9
×   0 . 6 3
```

㉑
```
    0 . 1 4
×   0 . 2 4
```

㉒
```
    0 . 2 9
×   0 . 4 1
```

㉓
```
    0 . 8 1
×   0 . 2 6
```

㉔
```
    0 . 6 2
×   0 . 2 3
```

㉕
```
    0 . 2 6
×   0 . 3 3
```

㉖
```
    0 . 4 4
×   0 . 1 6
```

㉗
```
    0 . 1 2
×   0 . 4 8
```

3

소수의 곱셈

119

자릿수가 같은 1보다 작은 소수끼리의 곱셈

🐻 계산해 보세요.

1 0.3×0.3

2 0.4×0.7

3 0.9×0.9

4 0.7×0.6

5 0.8×0.9

6 0.5×0.7

7 0.25×0.43

8 0.46×0.82

9 0.12×0.48

10 0.26×0.75

11 0.27×0.15

12 0.19×0.34

🐻 빈칸에 알맞은 수를 써넣으세요.

13 0.4 → $\times 0.8$ → ☐

14 0.7 → $\times 0.9$ → ☐

15 0.8 → $\times 0.2$ → ☐

16 0.48 → $\times 0.92$ → ☐

17 0.52 → $\times 0.17$ → ☐

18 0.38 → $\times 0.26$ → ☐

생활 속 계산

 모양을 만드는 데 사용한 점토의 무게는 몇 kg인지 구하세요.

19

0.7 kg의 0.9배

0.7 × ☐ = ☐ (kg)

20

0.85 kg의 0.25배

☐ × 0.25 = ☐ (kg)

21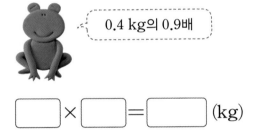

0.4 kg의 0.9배

☐ × ☐ = ☐ (kg)

22

0.64 kg의 0.83배

☐ × ☐ = ☐ (kg)

3

소수의 곱셈

121

문장 읽고 계산식 세우기

23 0.9의 0.8배만큼은 얼마인지?

식 0.9 × ☐ = ☐

24 0.32의 0.48배만큼은 얼마인지?

식 ☐ × 0.48 = ☐

25 가로가 0.8 m, 세로가 0.4 m인 직사각형의 넓이는 몇 m²?

식 0.8 × ☐ = ☐ (m²)

26 밑변의 길이가 0.72 m, 높이가 0.65 m인 평행사변형의 넓이는 몇 m²?

식 ☐ × 0.65 = ☐ (m²)

이렇게 해결하자

• 0.6 × 0.21의 계산

$$6 \times 21 = 126$$

$\frac{1}{10}$배 $\frac{1}{100}$배 $\frac{1}{1000}$배

$$0.6 \times 0.21 = 0.126$$

$$\begin{array}{r} 6 \\ \times\ 2\ 1 \\ \hline 1\ 2\ 6 \end{array} \rightarrow \begin{array}{r} 0.6 \\ \times\ 0.2\ 1 \\ \hline 0.1\ 2\ 6 \end{array}$$

소수 한 자리 수
소수 두 자리 수
소수 세 자리 수

계산해 보세요.

①

		0 .	2
×	0 .	5	7

②

		0 .	5
×	0 .	1	7

③

		0 .	8
×	0 .	4	2

④

		0 .	3
×	0 .	6	9

⑤

		0 .	9
×	0 .	1	6

⑥

		0 .	6
×	0 .	8	4

⑦

		0 .	3
×	0 .	2	1

⑧

		0 .	7
×	0 .	1	4

⑨

		0 .	4
×	0 .	3	2

⑩

		0 .	5
×	0 .	3	5

⑪

		0 .	6
×	0 .	4	2

⑫

		0 .	7
×	0 .	4	3

3

소수의 곱셈

122

⑬
```
      0 . 2
×   0 . 5 6
```

⑭
```
      0 . 5
×   0 . 3 7
```

⑮
```
      0 . 8
×   0 . 7 2
```

⑯
```
      0 . 3
×   0 . 6 4
```

⑰
```
      0 . 7
×   0 . 3 1
```

⑱
```
      0 . 6
×   0 . 7 8
```

⑲
```
  0 . 1 5
×     0 . 3
```

⑳
```
  0 . 2 7
×     0 . 9
```

㉑
```
  0 . 5 2
×     0 . 8
```

㉒
```
  0 . 1 9
×     0 . 5
```

㉓
```
  0 . 0 7
×     0 . 4
```

㉔
```
  0 . 1 9
×     0 . 6
```

㉕
```
  0 . 9 3
×     0 . 4
```

㉖
```
  0 . 2 4
×     0 . 8
```

㉗
```
  0 . 7 1
×     0 . 7
```

㉘
```
  0 . 1 3
×     0 . 8
```

㉙
```
  0 . 8 6
×     0 . 7
```

㉚
```
  0 . 8 1
×     0 . 4
```

3

소수의 곱셈

123

자릿수가 다른 1보다 작은 소수끼리의 곱셈

🐻 계산해 보세요.

1 0.2×0.16

2 0.4×0.36

3 0.7×0.42

4 0.8×0.72

5 0.6×0.56

6 0.9×0.14

7 0.26×0.3

8 0.31×0.5

9 0.56×0.8

🐻 빈칸에 알맞은 수를 써넣으세요.

10 $0.3 \rightarrow \times 0.51 \rightarrow \boxed{}$

11 $0.5 \rightarrow \times 0.83 \rightarrow \boxed{}$

12 $0.3 \rightarrow \times 0.49 \rightarrow \boxed{}$

13 $0.4 \rightarrow \times 0.78 \rightarrow \boxed{}$

14 $0.63 \rightarrow \times 0.9 \rightarrow \boxed{}$

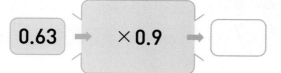

15 $0.57 \rightarrow \times 0.6 \rightarrow \boxed{}$

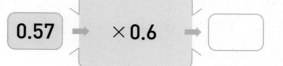

플러스 계산 연습

맞은 개수   / 25개

▶ 정답과 해설 20쪽

빈칸에 알맞은 수를 써넣으세요.

16 × → 0.8 × 0.46

| 0.8 | 0.46 | |
| 0.4 | 0.12 | |

17 ×

| 0.27 | 0.5 | |
| 0.36 | 0.9 | |

18 ×

| 0.6 | 0.21 | |
| 0.7 | 0.62 | |

19 ×

| 0.84 | 0.2 | |
| 0.58 | 0.3 | |

20 ×

| 0.4 | 0.13 | |
| 0.62 | 0.7 | |

21 ×

| 0.96 | 0.2 | |
| 0.21 | 0.9 | |

문장 읽고 계산식 세우기

22 밑변의 길이가 0.22 m, 높이가 0.3 m인 평행사변형의 넓이는 몇 m²?

식 $0.22 \times \boxed{} = \boxed{}$ (m²)

23 가로가 0.6 m, 세로가 0.78 m인 직사각형의 넓이는 몇 m²?

식 $\boxed{} \times 0.78 = \boxed{}$ (m²)

24 집에서 병원까지의 거리는 0.98 km이고 병원에서 학교까지의 거리는 집에서 병원까지의 거리의 0.8배라면 병원에서 학교까지의 거리는 몇 km?

식 $0.98 \times \boxed{} = \boxed{}$ (km)

25 어느 자동차는 1 km를 달리는 데 0.9 L의 휘발유가 필요하다면 이 자동차로 0.76 km를 달릴 때 필요한 휘발유는 몇 L?

식 $\boxed{} \times 0.76 = \boxed{}$ (L)

3

소수의 곱셈

125

자릿수가 같은 1보다 큰 소수끼리의 곱셈

이렇게 해결하자

• 2.5 × 1.3의 계산

$$25 \times 13 = 325$$

$\frac{1}{10}$배 $\frac{1}{10}$배 $\frac{1}{100}$배

$$2.5 \times 1.3 = 3.25$$

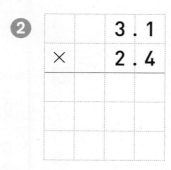

$$
\begin{array}{r}
2\,5 \\
\times\ 1\,3 \\
\hline
3\,2\,5
\end{array}
\rightarrow
\begin{array}{r}
2.5 \\
\times\ 1.3 \\
\hline
3.2\,5
\end{array}
$$

소수 한 자리 수
소수 한 자리 수
소수 두 자리 수

3

소수의 곱셈

계산해 보세요.

①
$$
\begin{array}{r}
2\,.\,6 \\
\times\ 1\,.\,2 \\
\hline
\end{array}
$$

②
$$
\begin{array}{r}
3\,.\,1 \\
\times\ 2\,.\,4 \\
\hline
\end{array}
$$

③
$$
\begin{array}{r}
4\,.\,2 \\
\times\ 1\,.\,7 \\
\hline
\end{array}
$$

④
$$
\begin{array}{r}
7\,.\,5 \\
\times\ 2\,.\,3 \\
\hline
\end{array}
$$

⑤
$$
\begin{array}{r}
4\,.\,3 \\
\times\ 6\,.\,2 \\
\hline
\end{array}
$$

⑥
$$
\begin{array}{r}
5\,.\,9 \\
\times\ 3\,.\,7 \\
\hline
\end{array}
$$

⑦
$$
\begin{array}{r}
6\,.\,4 \\
\times\ 2\,.\,4 \\
\hline
\end{array}
$$

⑧
$$
\begin{array}{r}
8\,.\,7 \\
\times\ 3\,.\,6 \\
\hline
\end{array}
$$

⑨
$$
\begin{array}{r}
9\,.\,6 \\
\times\ 4\,.\,8 \\
\hline
\end{array}
$$

⑩
```
      2 . 7
  ×   1 . 8
```

⑪
```
      3 . 2
  ×   2 . 3
```

⑫
```
      7 . 2
  ×   5 . 8
```

⑬
```
      4 . 9
  ×   1 . 6
```

⑭
```
      1 . 9
  ×   8 . 2
```

⑮
```
      5 . 6
  ×   3 . 4
```

⑯
```
      9 . 1 4
  ×   2 . 2 8
```

⑰
```
      5 . 4 2
  ×   6 . 7 2
```

⑱
```
      5 . 9 6
  ×   4 . 1 5
```

⑲
```
      8 . 5 1
  ×   1 . 9 4
```

⑳
```
      2 . 7 2
  ×   3 . 5 2
```

㉑
```
      4 . 9 6
  ×   1 . 3 7
```

자릿수가 같은 1보다 큰 소수끼리의 곱셈

🐻 계산해 보세요.

1 6.2 × 3.1

2 4.8 × 1.4

3 1.6 × 2.3

4 2.5 × 6.9

5 7.6 × 8.1

6 3.5 × 9.2

7 6.33 × 5.15

8 2.48 × 1.47

9 6.64 × 5.81

🐻 빈칸에 알맞은 수를 써넣으세요.

10 | 1.3 | × 3.5 |

11 | 6.5 | × 5.7 |

12 | 3.1 | × 1.9 |

13 | 5.6 | × 2.3 |

14 | 2.16 | × 1.58 |

15 | 2.68 | × 1.27 |

생활 속 계산

 대화를 보고 강아지의 무게를 구하세요.

16

내 무게는 1.8 kg이야.　난 너의 2.3배야.

➡ 1.8 × 2.3 = ☐ (kg)

17

내 무게는 2.5 kg이야.　난 너의 1.7배야.

➡ 2.5 × 1.7 = ☐ (kg)

18

내 무게는 2.9 kg이야.　난 너의 5.8배야.

➡ ☐ × ☐ = ☐ (kg)

19

내 무게는 3.6 kg이야.　난 너의 3.2배야.

➡ ☐ × ☐ = ☐ (kg)

3

소수의 곱셈

129

문장 읽고 계산식 세우기

20

노란색 리본의 길이는 3.7 m이고 빨간색 리본은 노란색 리본의 길이의 2.4배일 때 빨간색 리본의 길이는 몇 m?

식 3.7 × ☐ = ☐ (m)

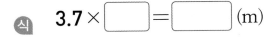

21

초록색 털실의 길이는 4.2 m이고 분홍색 털실은 초록색 털실의 길이의 1.9배일 때 분홍색 털실의 길이는 몇 m?

식 ☐ × 1.9 = ☐ (m)

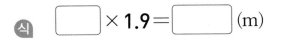

22

가로가 5.7 m, 세로가 3.1 m인 직사각형의 넓이는 몇 m²?

식 ☐ × ☐ = ☐ (m²)

23

한 변의 길이가 9.6 m인 정사각형의 넓이는 몇 m²?

식 ☐ × ☐ = ☐ (m²)

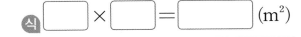

자릿수가 다른 1보다 큰 소수끼리의 곱셈

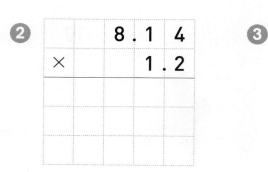

이렇게 해결하자

• 1.26 × 1.4의 계산

126 × 14 = 1764

$\frac{1}{100}$배 $\frac{1}{10}$배 $\frac{1}{1000}$배

1.26 × 1.4 = 1.764

$$\begin{array}{r} 1\ 2\ 6 \\ \times\ \ \ \ 1\ 4 \\ \hline 1\ 7\ 6\ 4 \end{array}$$
→
$$\begin{array}{r} 1.2\ 6 \\ \times\ \ \ \ 1.4 \\ \hline 1.7\ 6\ 4 \end{array}$$

소수 두 자리 수
소수 한 자리 수
소수 세 자리 수

계산해 보세요.

3

소수의 곱셈

❶
$$\begin{array}{r} 2.2\ 4 \\ \times\ \ \ \ 3.7 \end{array}$$

❷
$$\begin{array}{r} 8.1\ 4 \\ \times\ \ \ \ 1.2 \end{array}$$

❸
$$\begin{array}{r} 3.3\ 2 \\ \times\ \ \ \ 3.5 \end{array}$$

❹
$$\begin{array}{r} 1.6\ 1 \\ \times\ \ \ \ 2.3 \end{array}$$

❺
$$\begin{array}{r} 3.8\ 2 \\ \times\ \ \ \ 1.4 \end{array}$$

❻
$$\begin{array}{r} 7.0\ 2 \\ \times\ \ \ \ 4.2 \end{array}$$

❼
$$\begin{array}{r} 1.1\ 4 \\ \times\ \ \ \ 2.3 \end{array}$$

❽
$$\begin{array}{r} 2.3\ 6 \\ \times\ \ \ \ 1.7 \end{array}$$

❾
$$\begin{array}{r} 3.2\ 7 \\ \times\ \ \ \ 2.5 \end{array}$$

기초 계산 연습

⑩
```
       2 . 9
×   1 . 3 8
```

⑪
```
       3 . 2
×   2 . 1 4
```

⑫
```
       4 . 6
×   3 . 5 8
```

⑬
```
       1 . 9
×   3 . 8 1
```

⑭
```
       9 . 3
×   1 . 9 4
```

⑮
```
       1 . 4
×   6 . 3 6
```

⑯
```
       2 . 7
×   2 . 3 2
```

⑰
```
       3 . 6
×   4 . 2 2
```

⑱
```
       4 . 2
×   8 . 3 2
```

⑲
```
       9 . 4
×   1 . 2 6
```

⑳
```
       5 . 9
×   1 . 7 9
```

㉑
```
       7 . 8
×   3 . 2 6
```

자릿수가 다른 1보다 큰 소수끼리의 곱셈

🐻 계산해 보세요.

1 1.45 × 7.4

2 2.17 × 2.4

3 3.04 × 1.7

4 4.06 × 8.2

5 2.46 × 1.6

6 3.73 × 4.5

7 3.6 × 1.42

8 5.9 × 3.12

9 2.9 × 2.93

🐻 빈칸에 알맞은 수를 써넣으세요.

10 3.12 × 4.5

11 6.31 × 1.8

12 4.15 × 2.9

13 5.7 × 5.02

14 7.9 × 3.24

15 8.6 × 2.64

생활 속 계산

🐻 양을 늘린 재료의 양을 구하세요.

16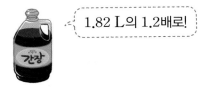

$1.82 \times \boxed{} = \boxed{}$ (L)

17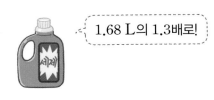

$\boxed{} \times \boxed{} = \boxed{}$ (L)

18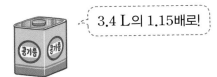

$3.4 \times \boxed{} = \boxed{}$ (L)

19

$\boxed{} \times \boxed{} = \boxed{}$ (L)

문장 읽고 계산식 세우기

20
9.1을 4.38배한 수는?

식 $9.1 \times \boxed{} = \boxed{}$

21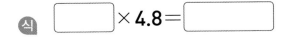
6.12를 4.8배한 수는?

식 $\boxed{} \times 4.8 = \boxed{}$

22
원숭이의 무게는 3.52 kg이고, 양의 무게는 원숭이 무게의 2.7배일 때 양의 무게는 몇 kg?

식 $3.52 \times \boxed{} = \boxed{}$ (kg)

23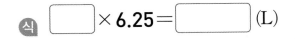
일정한 빠르기로 1분 동안 7.4 L의 물이 나오는 수도로 6.25분 동안 받은 물의 양은 몇 L?

식 $\boxed{} \times 6.25 = \boxed{}$ (L)

3

소수의 곱셈

133

자연수와 소수의 곱셈에서 곱의 소수점의 위치

🐻 이렇게 해결하자

- 3.25에 10, 100, 1000 곱하기

$$3.25 \times \textbf{10} = \textbf{32.5}$$
$$3.25 \times \textbf{100} = \textbf{325}$$
$$3.25 \times \textbf{1000} = \textbf{3250}$$

> 곱하는 수의 0이 하나씩 늘어날 때마다
> ➜ 곱의 소수점이 오른쪽으로 한 자리씩 옮겨짐.

- 214에 0.1, 0.01, 0.001 곱하기

$$214 \times \textbf{0.1} = \textbf{21.4}$$
$$214 \times \textbf{0.01} = \textbf{2.14}$$
$$214 \times \textbf{0.001} = \textbf{0.214}$$

> 곱하는 소수의 소수점 아래 자리 수가 하나씩 늘어날 때마다
> ➜ 곱의 소수점이 왼쪽으로 한 자리씩 옮겨짐.

🐻 소수점의 위치를 생각하여 ☐ 안에 알맞은 수를 써넣으세요.

1 $0.39 \times 10 = 3.9$

$0.39 \times 100 = \boxed{}$

$0.39 \times 1000 = \boxed{}$

2 $83 \times 0.1 = 8.3$

$83 \times 0.01 = \boxed{}$

$83 \times 0.001 = \boxed{}$

3 $6.15 \times 10 = 61.5$

$6.15 \times 100 = \boxed{}$

$6.15 \times 1000 = \boxed{}$

4 $476 \times 0.1 = 47.6$

$476 \times 0.01 = \boxed{}$

$476 \times 0.001 = \boxed{}$

5 $2.163 \times 10 = 21.63$

$2.163 \times 100 = \boxed{}$

$2.163 \times 1000 = \boxed{}$

6 $3715 \times 0.1 = \boxed{}$

$3715 \times 0.01 = \boxed{}$

$3715 \times 0.001 = \boxed{}$

기초 계산 연습

⑦
$2.597 \times 10 =$ ☐
$2.597 \times 100 =$ ☐
$2.597 \times 1000 =$ ☐

⑧
$368 \times 0.1 =$ ☐
$368 \times 0.01 =$ ☐
$368 \times 0.001 =$ ☐

⑨
$0.435 \times 10 =$ ☐
$0.435 \times 100 =$ ☐
$0.435 \times 1000 =$ ☐

⑩
$10 \times 7.34 =$ ☐
$100 \times 7.34 =$ ☐
$1000 \times 7.34 =$ ☐

⑪
$0.1 \times 7 =$ ☐
$0.01 \times 7 =$ ☐
$0.001 \times 7 =$ ☐

⑫
$20 \times 1.63 =$ ☐
$200 \times 1.63 =$ ☐
$2000 \times 1.63 =$ ☐

⑬
$0.5 \times 13 =$ ☐
$0.05 \times 13 =$ ☐
$0.005 \times 13 =$ ☐

⑭
$580 \times 0.4 =$ ☐
$580 \times 0.04 =$ ☐
$580 \times 0.004 =$ ☐

⑮
$0.4 \times 16 =$ ☐
$0.04 \times 16 =$ ☐
$0.004 \times 16 =$ ☐

⑯
$236 \times 0.2 =$ ☐
$236 \times 0.02 =$ ☐
$236 \times 0.002 =$ ☐

자연수와 소수의 곱셈에서 곱의 소수점의 위치

🐻 다음이 나타내는 수를 구하세요.

1 0.375의 100배 → ⬜

2 3.207의 10배 → ⬜

3 620의 0.1배 → ⬜

4 8.265의 1000배 → ⬜

5 450의 0.01배 → ⬜

6 2060의 0.001배 → ⬜

7 6.39의 1000배 → ⬜

8 1407의 0.1배 → ⬜

🐻 ⬜ 안에 알맞은 수를 써넣으세요.

9 86 → × ⬜ → 8.6

10 4.25 → × ⬜ → 425

11 508 → × ⬜ → 5.08

12 0.49 → × ⬜ → 4.9

13 639 → × ⬜ → 63.9

14 1.95 → × ⬜ → 195

플러스 계산 연습

생활 속 계산

상자 한 개의 무게가 다음과 같을 때, 상자 10개, 100개, 1000개의 무게를 각각 구하세요.

15

한 개의 무게가
0.96 kg이에요.

(**10**개의 무게)= [   ] kg

(**100**개의 무게)= [   ] kg

(**1000**개의 무게)= [   ] kg

16

한 개의 무게가
1.05 kg이에요.

(**10**개의 무게)= [   ] kg

(**100**개의 무게)= [   ] kg

(**1000**개의 무게)= [   ] kg

문장 읽고 계산식 세우기

17
5.608의 100배는?

식 5.608 × [   ] = [   ]

18
4027의 0.01배는?

식 [   ] × 0.01 = [   ]

19
파란색 끈의 길이는 0.182 m이고, 노란색 끈의 길이는 파란색 끈의 길이의 100배일 때 노란색 끈의 길이는 몇 m?

식 0.182 × [   ] = [   ] (m)

20
초록색 털실의 길이는 152 cm이고, 보라색 털실의 길이는 초록색 털실의 길이의 0.1배일 때 보라색 털실의 길이는 몇 cm?

식 [   ] × 0.1 = [   ] (cm)

21
우유를 매일 0.25 L씩 마셨다면 10일 동안 마신 우유의 양은 몇 L?

식 [   ] × [   ] = [   ] (L)

22
한 개의 무게가 0.76 kg인 음료 10개의 무게는 몇 kg?

식 [   ] × [   ] = [   ] (kg)

소수끼리의 곱셈에서 곱의 소수점의 위치

• 6 × 3의 계산을 이용하여 곱의 소수점 위치의 규칙 찾기

$$6 \times 3 = 18$$

$$0.6 \times 0.3 = 0.18$$

소수 한 자리 수 ↑   소수 한 자리 수 ↑   소수 두 자리 수

$$0.6 \times 0.03 = 0.018$$

소수 한 자리 수 ↑   소수 두 자리 수 ↑   소수 세 자리 수

$$0.06 \times 0.03 = 0.0018$$

소수 두 자리 수 ↑   소수 두 자리 수 ↑   소수 네 자리 수

> 곱하는 두 수의
> 소수점 아래 자리 수를 더한 것과
> 결괏값의 소수점 아래 자리 수가
> 같아요.

3

소수의 곱셈

자연수의 곱셈을 보고, ☐ 안에 알맞은 수를 써넣으세요.

① $6 \times 7 = 42$

$0.6 \times 0.7 =$ ☐

$0.06 \times 0.7 =$ ☐

② $4 \times 9 = 36$

$0.4 \times 0.09 =$ ☐

$0.04 \times 0.9 =$ ☐

③ $13 \times 2 = 26$

$1.3 \times 0.2 =$ ☐

$0.13 \times 0.02 =$ ☐

④ $18 \times 3 = 54$

$1.8 \times 0.03 =$ ☐

$0.18 \times 0.3 =$ ☐

⑤ $32 \times 14 = 448$

$3.2 \times 0.14 =$ ☐

$0.32 \times 1.4 =$ ☐

⑥ $23 \times 48 = 1104$

$0.23 \times 4.8 =$ ☐

$2.3 \times 0.48 =$ ☐

❼ $3 \times 7 = 21$

$0.3 \times 0.7 =$ ☐

$0.3 \times 0.07 =$ ☐

❽ $12 \times 6 = 72$

$1.2 \times 0.6 =$ ☐

$0.12 \times 0.6 =$ ☐

❾ $16 \times 4 = 64$

$1.6 \times 0.4 =$ ☐

$1.6 \times 0.04 =$ ☐

❿ $9 \times 25 = 225$

$0.9 \times 2.5 =$ ☐

$0.09 \times 2.5 =$ ☐

⓫ $51 \times 16 = 816$

$5.1 \times 1.6 =$ ☐

$5.1 \times 0.16 =$ ☐

$5.1 \times 0.016 =$ ☐

⓬ $24 \times 17 = 408$

$2.4 \times 0.17 =$ ☐

$0.24 \times 0.17 =$ ☐

$0.024 \times 0.17 =$ ☐

⓭ $101 \times 37 = 3737$

$1.01 \times 3.7 =$ ☐

$1.01 \times 0.37 =$ ☐

$1.01 \times 0.037 =$ ☐

⓮ $238 \times 15 = 3570$

$23.8 \times 1.5 =$ ☐

$2.38 \times 0.15 =$ ☐

$0.238 \times 0.015 =$ ☐

3

소수의 곱셈

139

소수끼리의 곱셈에서 곱의 소수점의 위치

🐻 소수점의 위치를 생각하여 계산해 보세요.

1 $9 \times 7 =$ [ ]

$0.9 \times 0.7 =$ [ ]

$0.09 \times 0.7 =$ [ ]

2 $2 \times 16 =$ [ ]

$0.2 \times 1.6 =$ [ ]

$0.02 \times 0.16 =$ [ ]

3 $4 \times 21 =$ [ ]

$0.4 \times 2.1 =$ [ ]

$0.04 \times 2.1 =$ [ ]

4 $59 \times 8 =$ [ ]

$5.9 \times 0.8 =$ [ ]

$0.59 \times 0.08 =$ [ ]

5 $37 \times 4 =$ [ ]

$3.7 \times 0.4 =$ [ ]

$0.37 \times 0.4 =$ [ ]

6 $6 \times 71 =$ [ ]

$0.6 \times 7.1 =$ [ ]

$0.06 \times 0.71 =$ [ ]

3

소수의 곱셈

140

🐻 계산 결과를 찾아 선으로 이어 보세요.

7
0.3×1.8 •   • 0.0054

0.3×0.18 •   • 0.054

0.03×0.18 •   • 0.54

8
1.2×2.3 •   • 0.0276

0.12×2.3 •   • 2.76

0.12×0.23 •   • 0.276

9
5.21×0.2 •   • 10.42

52.1×0.2 •   • 0.1042

5.21×0.02 •   • 1.042

10
48.6×3.1 •   • 15.066

48.6×0.31 •   • 150.66

0.486×3.1 •   • 1.5066

빈칸에 알맞은 수를 써넣으세요.

11
$$63 \times 12 = 756$$

6.3×1.2 ➡ ⬚

0.63×1.2 ➡ ⬚

0.63×0.12 ➡ ⬚

12
$$91 \times 25 = 2275$$

9.1×2.5 ➡ ⬚

0.91×2.5 ➡ ⬚

0.91×0.25 ➡ ⬚

13
$$128 \times 21 = 2688$$

12.8×2.1 ➡ ⬚

1.28×2.1 ➡ ⬚

1.28×0.21 ➡ ⬚

14
$$316 \times 18 = 5688$$

31.6×1.8 ➡ ⬚

3.16×1.8 ➡ ⬚

3.16×0.18 ➡ ⬚

3

소수의 곱셈

141

문장 읽고 문제 해결하기

15 $17 \times 3 = 51$일 때 1.7×0.03의 값은?

답 _____

16 $45 \times 17 = 765$일 때 4.5×1.7의 값은?

답 _____

17 $29 \times 33 = 957$일 때 0.29×0.33의 값은?

답 _____

18 $137 \times 23 = 3151$일 때 13.7×0.23의 값은?

답 _____

🐻 계산해 보세요.

①
```
      0 . 7
  ×   0 . 6
```

②
```
      0 . 3
  ×   1 . 4
```

③
```
    0 . 9  2
  ×        3
```

④
```
      5 . 8
  ×       9
```

⑤
```
      2 . 4
  ×   0 . 7
```

⑥
```
    4 . 3  6
  ×        8
```

⑦
```
    0 . 2  7
  × 0 . 1  6
```

⑧
```
    1 . 1  6
  ×      2  4
```

⑨
```
      0 . 8
  × 0 . 7  1
```

⑩
```
    1 . 2  4
  ×     1 . 8
```

⑪
```
        1  8
  × 0 . 2  2
```

⑫
```
      6 . 7
  ×   7 . 6
```

⑬
```
      3  7
  ×   5 . 2
```

⑭
```
        5  2
  ×   4 . 1  6
```

⑮
```
    3 . 2  5
  × 1 . 1  5
```

소수의 곱셈

🐻 빈칸에 알맞은 수를 써넣으세요.

16 × →
| 0.9 | 5 | |

17 × →
| 7 | 0.42 | |

18 × →
| 3.2 | 4.9 | |

19 × →
| 1.6 | 2.7 | |

20 × →
| 1.7 | 1.4 | |

21 × →
| 21 | 0.65 | |

22 × →
| 0.12 | 0.9 | |

23 × →
| 10.4 | 8.2 | |

24 × →
| 16 | 2.76 | |

25 × →
| 3.66 | 1.5 | |

26 × →
| 0.34 | 0.23 | |

27 × →
| 62 | 0.48 | |

제한 시간 안에 정확하게
모두 풀었다면 여러분은 진정한 **계산왕!**

문장제 문제 도전하기

곱셈을 이용하여 물음에 답하세요.

1 32 × 2.26 = [   ]

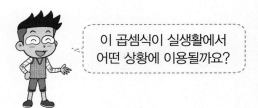

이 곱셈식이 실생활에서 어떤 상황에 이용될까요?

→ 혜빈이의 몸무게는 **32** kg이고, 아버지의 몸무게는 혜빈이 몸무게의 **2.26**배입니다.
아버지의 몸무게는 몇 kg일까요?

32 kg

2.26배

혜빈

[   ] × [   ] = [   ] (kg)

2 6.2 × 7.35 = [   ]

→ 빨간색 리본 끈의 길이는 **6.2** m이고 노란색 리본 끈은 빨간색 리본 끈의 길이의 **7.35**배입니다.
노란색 리본 끈의 길이는 몇 m일까요?

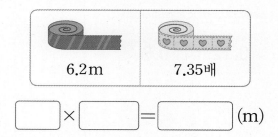

6.2m   7.35배

[   ] × [   ] = [   ] (m)

3 1.5 × 21 = [   ]

→ 성일이는 매일 **1.5**시간씩 축구를 합니다. 성일이가 **3**주 동안 축구를 한 시간은 모두 몇 시간일까요?

[   ] × [   ] = [   ] (시간)

문장을 읽고 알맞은 곱셈식을 세워 답을 구해 보자!

4 굵기가 일정한 철사 **1** m의 무게는 **38** g입니다.
이 철사 **2.45** m의 무게는 몇 g일까요?

$$\boxed{} \times \boxed{} = \boxed{} \text{(g)}$$

5 밑변의 길이가 **5.6** m이고 높이가 **4.15** m인 평행사변형의 넓이는 몇 m²일까요?

4.15 m
5.6 m
→ $\boxed{} \times \boxed{} = \boxed{}$ (m²)

6 미주는 매일 **1.7** km씩 산책을 합니다.
미주가 **2**주 동안 산책한 거리는 몇 km일까요?

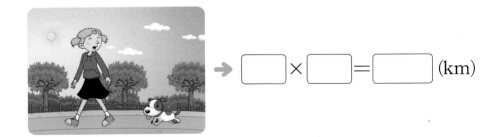

→ $\boxed{} \times \boxed{} = \boxed{}$ (km)

문장제 문제 도전하기

🐻 곱셈을 이용하여 물음에 답하세요.

7 $1.9 \times 12 =$ ▭

💬 이 곱셈식이 실생활에서 어떤 상황에 이용될까요?

➡ 한 개의 무게가 **1.9** kg인 파인애플이 **12**개 있습니다.
파인애플의 무게는 모두 몇 kg일까요?

▭ $\times$ ▭ $=$ ▭ (kg)

8 $0.91 \times 0.6 =$ ▭

➡ 진주는 밭에서 상추를 **0.91** kg 따고 성우는 진주가 딴 상추 무게의 **0.6**배만큼 땄습니다.
성우가 딴 상추의 무게는 몇 kg일까요?

0.91 kg 땄어.   너의 0.6배를 땄어.

진주   성우

▭ $\times$ ▭ $=$ ▭ (kg)

9 $240 \times 0.01 =$ ▭

➡ 밭에서 수확한 고구마의 무게는 **240** kg이고, 당근의 무게는 고구마 무게의 **0.01**배입니다.
밭에서 수확한 당근의 무게는 몇 kg일까요?

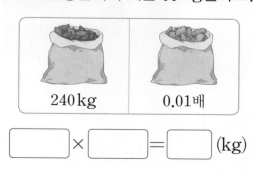

240 kg   0.01배

▭ $\times$ ▭ $=$ ▭ (kg)

10 키위 한 상자의 무게는 **4.9** kg입니다.
똑같은 키위 상자 **5**개의 무게는 모두 몇 kg일까요?

$\boxed{} \times \boxed{} = \boxed{}$ (kg)

11 어느 자동차는 **1** km를 달리는 데 **0.8** L의 휘발유가 필요합니다.
이 자동차로 **0.93** km를 달릴 때 필요한 휘발유는 몇 L일까요?

$\boxed{} \times \boxed{} = \boxed{}$ (L)

12 **10**원짜리 동전 한 개의 무게는 **1.22** g입니다.
10원짜리 동전 **1000**개의 무게는 모두 몇 g일까요?

$\times 1000 \Rightarrow \boxed{} \times \boxed{} = \boxed{}$ (g)

3

소수의 곱셈

147

창의·융합·코딩·도전하기

철근을 자르는 데 걸리는 시간은?

 철근을 쉬지 않고 자르면 모두 몇 분이 걸리는지 구하세요.

 각 철근을 쉬지 않고 자르는 데 걸린 시간을 구해 봐요.

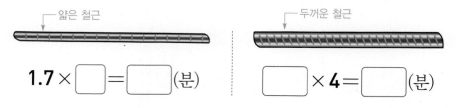

얇은 철근

1.7 × ☐ = ☐ (분)

두꺼운 철근

☐ × 4 = ☐ (분)

2 <보기>와 같이 블록 명령에 따라 자동차가 지나가는 길 위에 있는 두 소수의 곱을 구하세요.

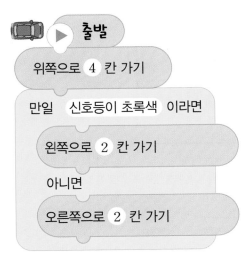

```
▶ 출발
위쪽으로 4 칸 가기
만일  신호등이 초록색  이라면
  왼쪽으로  2  칸 가기
  아니면
  오른쪽으로  2  칸 가기
```

$$\boxed{} \times \boxed{} = \boxed{}$$

4 평 균

실생활에서 알아보는 재미있는 수학 이야기

허술도사랑 크게 다투고 나서 그가 나를 수학비급과 함께 이 섬에 가둬 버렸어.

수학비급을 찾아야 섬에서 나갈 수 있는 도술에 걸렸는데 나도 그게 어디 있는지 몰라.

수학비급이 있는 곳이라면 저희가 알고 있으니 찾아올게요.

정말? 그렇다면 비급 상자의 열쇠를 너희에게 줄게.

도사님이 주신 지도에는 분명 섬의 중심에 수학비급을 숨겨놨다고 하셨어.

섬의 중심은 바로 저 곳이야. 내가 유일하게 가 보지 않은 곳이지.

왜 안 가 보셨어요?

거긴 너무 추워서 내 백옥같은 피부가 건조해지잖아.

정말 대단한 이유네요.

너희가 거기로 갈 수 있도록 새를 빌려줄게.

체중계로 몸무게를 재서 몸무게의 평균이 5가 넘으면 새가 날 수 없어.

자료의 값을 모두 더해 자료의 수로 나누면 평균을 구할 수 있지.

10   6   5

(평균)=(10＋6＋5)÷3
=21÷3=7

저런 7이 나왔네. 안타깝지만……

잠깐! 제가 배낭을 내려놓고 다시 재 볼게요.

이번에 배울 내용을 알아볼까요?

다시 계산해보니 딱 5가 나오네! 출발하자.

아니 배낭을 얼마나 무겁게 들고 있던 거야?

이렇게 가면 섬 중심으로 단숨에 갈 수 있겠어.

저기 굴이 보인다!

으스스한 느낌이 드는데…….

여기까지 왔다는 것은 전설의 수학비급을 찾으러 온 거군.

헉! 말하는 용이다!

저는 맛없는 돼지예요! 요즘 다이어트를 해서 맛이 없어요!

다이어트 했었…어…?

요즘은 인간이 더 맛있는 거 아세요?

뭔 소리야!

여기까지 오느라 고생했다. 허술도사가 맡긴 수학비급이 들어 있는 상자를 주마.

마녀에게 받은 열쇠로 열어 보자!

빈
쩍

오호호! 고생했다. 꼬마들아~. 수학비급은 내가 가져가마.

헉! 마녀야.

자료를 보고 평균 구하기

 이렇게 해결하자

• 자료의 평균 구하기

| 3 | 7 | 2 | 4 |

$(평균) = (3+7+2+4) \div 4$
$= 16 \div 4 = 4$

> 자료의 값을 모두 더해
> 자료의 수로 나눈 값을 평균이라고 해요.

자료의 평균을 구하세요.

4
평균

152

❶ 12   9   6

$(평균) = (12+9+6) \div \boxed{}$
$= \boxed{}$

❷ 14   7   9

$(평균) = (14+7+9) \div \boxed{}$
$= \boxed{}$

❸ 10   7   2   13

$(평균) = (10+7+2+13) \div \boxed{}$
$= \boxed{}$

❹ 8   13   10   5

$(평균) = (8+13+10+5) \div \boxed{}$
$= \boxed{}$

❺ 16   20   12

$\boxed{}$

❻ 5   10   6

$\boxed{}$

❼ 19   16   13

$\boxed{}$

❽ 20   7   9

$\boxed{}$

❾ | 7 | 12 | 16 | 9 |

❿ | 6 | 9 | 5 | 12 |

⓫ | 22 | 8 | 17 | 5 |

⓬ | 27 | 13 | 18 | 14 |

⓭ | 34 | 29 | 37 | 40 |

⓮ | 23 | 21 | 25 | 27 |

⓯ | 11 | 15 | 19 | 16 | 14 |

⓰ | 17 | 19 | 24 | 32 | 8 |

⓱ | 13 | 7 | 18 | 20 | 12 |

⓲ | 26 | 20 | 22 | 16 | 21 |

⓳ | 12 | 8 | 20 | 18 | 12 |

⓴ | 15 | 16 | 14 | 17 | 13 |

㉑ | 15 | 39 | 18 | 56 | 42 |

㉒ | 32 | 46 | 29 | 28 | 25 |

4

평
균

153

자료를 보고 평균 구하기

🐻 세 수의 평균을 구해 ☐ 안에 알맞은 수를 써넣으세요.

1
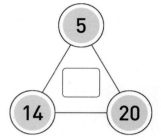
5
14 20

2
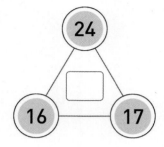
24
16 17

3
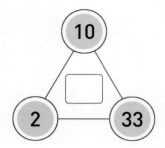
10
2 33

4
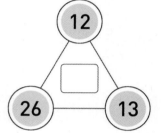
12
26 13

5
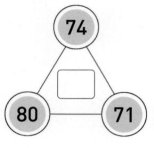
74
80 71

6
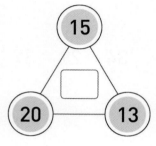
15
20 13

🐻 풍선에 적힌 수들의 평균을 구하세요.

7
 11   15 20   6

☐

8
30 24 28 26

☐

9
 11 9 15 30 25

☐

10
8 4 15 11 17

☐

11
3 11 7 14 9 16

☐

12
8 7 3 12 20 16

☐

플러스 계산 연습

생활 속 계산

🐻 고리 던지기를 하여 걸린 고리 수를 나타낸 것입니다. 걸린 고리 수의 평균을 구하세요.

13

강호　　현준　　소진

(세 사람이 걸은 고리 수의 평균)

= ☐ 개

14

재석　　명진　　현지　　미리

(네 사람이 걸은 고리 수의 평균)

= ☐ 개

15

윤지　　미선　　용호

(세 사람이 걸은 고리 수의 평균)

= ☐ 개

16

승준　　진솔　　상희　　채윤

(네 사람이 걸은 고리 수의 평균)

= ☐ 개

4

평균

155

문장 읽고 계산식 세우기

17

민성이가 일주일 동안 컴퓨터를 사용한 시간이 322분일 때, 민성이가 하루 평균 컴퓨터를 사용한 시간은 몇 분?

식　322 ÷ ☐ = ☐ (분)

18

진수가 5일 동안 공부한 시간이 200분일 때, 진수가 하루 평균 공부한 시간은 몇 분?

식　☐ ÷ ☐ = ☐ (분)

19

빨간색 테이프는 52 cm, 노란색 테이프는 48 cm일 때, 두 색 테이프 길이의 평균은 몇 cm?

식　(52 + 48) ÷ ☐ = ☐ (cm)

20

민기가 운동한 시간은 40분, 정아가 운동한 시간은 54분일 때, 두 사람이 운동한 시간의 평균은 몇 분?

식　(☐ + ☐) ÷ ☐ = ☐ (분)

표를 보고 평균 구하기

• 제기차기 기록의 평균 구하기

제기차기 기록

이름	대성	희정	강우	세영
기록(개)	8	12	10	14

자료의 수: 4

(평균)＝(제기차기 기록의 합)÷(자료의 수)
＝(8＋12＋10＋14)÷4
＝44÷4＝11(개)

평균을 그 자료를 대표하는 값으로 정하면 편리해요.

4

평균

156

표를 보고 평균을 구하세요.

❶ 가지고 있는 구슬 수

이름	상진	주하	승호
구슬 수(개)	22	13	10

(평균)
＝(22＋13＋10)÷☐
＝☐(개)

❷ 반별 학생 수

반	1	2	3	4
학생 수(명)	24	26	23	19

(평균)
＝(24＋26＋☐＋19)÷☐
＝☐(명)

❸ 100 m 달리기 기록

이름	우식	은지	서우
기록(초)	18	17	22

(평균)＝☐초

❹ 가지고 있는 색종이 수

이름	다미	미란	유리	지원
색종이 수(장)	20	24	23	21

(평균)＝☐장

❺ 학생들의 몸무게

이름	선호	소현	윤아	민호
몸무게(kg)	42	46	43	41

(평균)＝☐kg

❻ 줄넘기 기록

이름	다은	성재	시은	소라
기록(번)	50	64	46	56

(평균)＝☐번

7 읽은 책 수

이름	지훈	해리	병찬
책 수(권)	9	16	5

[ ]권

8 과목별 단원평가 점수

과목	국어	수학	과학	사회
점수(점)	90	88	80	82

[ ]점

9 턱걸이 기록

이름	승수	강우	윤아	진경
기록(회)	6	7	3	4

[ ]회

10 멀리 던지기 기록

회	1회	2회	3회	4회
기록(m)	29	28	31	28

[ ]m

11 모은 붙임딱지 수

이름	성재	진우	성주	미주
붙임딱지 수(장)	9	4	3	8

[ ]장

12 주은 도토리 수

이름	소민	태우	성모	승아
도토리 수(개)	12	4	6	2

[ ]개

13 과수원별 사과 생산량

과수원	가	나	다	라	마
생산량(상자)	38	56	40	44	32

[ ]상자

14 마을별 초등학생 수

마을	가	나	다	라	마
초등학생 수(명)	58	64	55	43	30

[ ]명

4
평균

157

표를 보고 평균 구하기

🐻 표를 보고 주어진 자료의 평균을 구하세요.

1 민지가 먹은 귤의 수

날짜(일)	1	2	3
귤의 수(개)	9	10	8

☐ 개

2 박물관의 방문자 수

요일	금	토	일
방문자 수(명)	116	132	136

☐ 명

3 책을 읽은 쪽수

날짜(일)	1	2	3
쪽수(쪽)	28	32	33

☐ 쪽

4 운동한 시간

날짜(일)	1	2	3
시간(분)	66	56	70

☐ 분

5 회원의 나이

이름	지호	경수	호준	미라
나이(살)	10	14	12	8

☐ 살

6 학급별 학생 수

학급(반)	1	2	3	4
학생 수(명)	25	27	24	28

☐ 명

7 가지고 있는 연필 수

이름	정은	민우	유진	형준
연필 수(자루)	12	8	13	7

☐ 자루

8 몸무게

이름	재준	희서	수정	호범
몸무게(kg)	46	32	33	37

☐ kg

9 학급별 안경을 쓴 학생 수

학급(반)	1	2	3	4
학생 수(명)	5	2	3	6

☐ 명

10 모은 딱지 수

이름	형식	정아	수지	홍기
딱지 수(개)	18	19	16	15

☐ 개

생활 속 문제

친구들이 게임에 사용한 금액의 평균은 얼마인지 구하세요.

이름	성일	리아	주영	지호	영준	석호
게임	두더지 게임, 인형 뽑기	조각 맞추기, 뽀글 뽀글	조각 맞추기, 틀린 그림 찾기, 베이비 허들	두더지 게임, 자동차 게임, 뽀글 뽀글	인형 뽑기, 자동차 게임	자동차 게임, 농구, 틀린 그림 찾기

11 성일 = [   ] 원

12 리아 = [   ] 원

13 주영 = [   ] 원

14 지호 = [   ] 원

15 영준 = [   ] 원

16 석호 = [   ] 원

문장 읽고 계산식 세우기

17 6, 8, 10의 평균은?

식 $(6+8+\boxed{})\div\boxed{}=\boxed{}$

18 1, 6, 4, 5의 평균은?

식 $(1+6+4+\boxed{})\div\boxed{}=\boxed{}$

③ 일차 평균 비교하기

이렇게 해결하자

• 정은이와 진경이의 턱걸이 기록의 평균 비교하기

정은이의 턱걸이 기록

회	1회	2회	3회
기록(개)	5	9	10

진경이의 턱걸이 기록

회	1회	2회	3회	4회
기록(개)	7	9	5	7

(정은이의 턱걸이 기록의 평균)
$= (5+9+10) \div 3$
$= 24 \div 3 = 8$(개)

(진경이의 턱걸이 기록의 평균)
$= (7+9+5+7) \div 4$
$= 28 \div 4 = 7$(개)

→ 8개 > 7개이므로 정은이가 진경이보다 더 잘했다고 볼 수 있습니다.

4 평균

자료의 평균을 비교하여 ○ 안에 >, =, <를 알맞게 써넣으세요.

❶ 14, 12, 16 ○ 15, 13, 17

❷ 8, 13, 12 ○ 12, 15, 11, 10

❸ 16, 24, 23, 25 ○ 20, 22, 21

❹ 42, 30, 43, 57 ○ 36, 38, 40, 62

❺ 29, 25, 20, 22 ○ 27, 28, 19, 18, 23

❻ 30, 31, 41, 43, 45 ○ 43, 35, 38, 32

🐻 표를 보고 자료의 평균을 비교하여 ◯ 안에 >, =, <를 알맞게 써넣으세요.

❼ 5학년 학생 수

반	1	2	3
학생 수(명)	30	26	28

6학년 학생 수

반	1	2	3
학생 수(명)	29	31	27

5학년 학생 수의 평균   6학년 학생 수의 평균

❽ 재준이의 컴퓨터 사용 시간

요일	월	화	수
시간(분)	50	40	30

정아의 컴퓨터 사용 시간

요일	월	화	수
시간(분)	43	60	32

재준이의 컴퓨터 사용 시간의 평균   정아의 컴퓨터 사용 시간의 평균

❾ 진수의 오래 매달리기 기록

회	1회	2회	3회	4회
기록(초)	14	16	20	18

태호의 오래 매달리기 기록

회	1회	2회	3회
기록(초)	17	15	13

진수의 오래 매달리기 기록의 평균   ◯   태호의 오래 매달리기 기록의 평균

❿ 미영이네 모둠의 몸무게

이름	미영	성빈	동한
몸무게(kg)	46	43	37

나래네 모둠의 몸무게

이름	나래	준환	승기	대헌
몸무게(kg)	42	40	45	45

미영이네 모둠의 몸무게의 평균   나래네 모둠의 몸무게의 평균

4

평균

161

평균 비교하기

🐻 표를 보고 점수의 평균이 더 높은 사람은 누구인지 구하세요.

1

지은이의 수학 단원평가 점수

단원	1단원	2단원	3단원
점수(점)	92	94	93

성준이의 수학 단원평가 점수

단원	1단원	2단원	3단원
점수(점)	96	98	88

→ ▢

2

다은이의 과녁 맞히기 점수

회	1회	2회	3회
점수(점)	35	25	24

민호의 과녁 맞히기 점수

회	1회	2회	3회
점수(점)	24	36	36

→ ▢

3

성호의 제기차기 기록

회	1회	2회	3회	4회
기록(개)	9	12	14	5

윤아의 제기차기 기록

회	1회	2회	3회	4회
점수(점)	9	3	6	10

→ ▢

🐻 자료의 평균을 구하여 평균보다 더 큰 자료의 수를 구하세요.

4

요일별 최고 기온

요일	월	화	수	목	금	토	일
기온(℃)	15	14	17	12	10	11	12

→ 평균보다 기온이
높은 날수 ▢ 일

5

합창단원의 나이

이름	진경	신우	하준	영호	승준
나이(살)	14	11	13	12	15

→ 평균보다 나이가
많은 단원 수 ▢ 명

6

준우가 마신 우유의 양

요일	월	화	수	목	금
우유의 양(mL)	200	250	300	400	150

→ 평균보다 우유를
많이 마신 날수   일

생활 속 문제

한 시간당 달린 거리의 평균이 더 긴 자동차를 찾아 ◯ 안에 기호를 써넣으세요.

7 가

간 거리: 213 km
달린 시간: 3시간

나

간 거리: 272 km
달린 시간: 4시간

→ ☐ 자동차

8 가

간 거리: 288 km
달린 시간: 4시간

나

간 거리: 375 km
달린 시간: 5시간

→ ☐ 자동차

9 가

간 거리: 365 km
달린 시간: 5시간

나

간 거리: 207 km
달린 시간: 3시간

→ ☐ 자동차

문장 읽고 문제 해결하기

10 어떤 책을 수호는 5일 동안 300쪽을 읽었고, 혜영이는 4일 동안 220쪽 읽었을 때, 하루에 읽은 쪽수의 평균이 더 많은 사람은?

(수호가 하루에 읽은 쪽수의 평균)

$= 300 \div 5 = $ ☐ (쪽)

(혜영이가 하루에 읽은 쪽수의 평균)

$= 220 \div 4 = $ ☐ (쪽)

답 _____

11 식혜를 성우는 4일 동안 2800 mL 마셨고, 연수는 3일 동안 2400 mL 마셨을 때, 하루에 마신 식혜의 양의 평균이 더 많은 사람은?

(성우가 하루에 마신 식혜의 양의 평균)

$= $ ☐ $\div 4 = $ ☐ (mL)

(연수가 하루에 마신 식혜의 양의 평균)

$= $ ☐ $\div 3 = $ ☐ (mL)

답 _____

평균을 이용하여 ■의 값 구하기

이렇게 해결하자

- 네 수의 평균이 20일 때, ■의 값 구하기

> ■,   26,   27,   15

(자료의 값을 모두 더한 수)

=(평균)×(자료의 수)=$20 \times 4 = 80$

➔ ■=$80-(26+27+15)=12$

> (평균)=(자료의 값을 모두 더한 수)÷(자료의 수)
> ➔ (자료의 값을 모두 더한 수)=(평균)×(자료의 수)

자료의 값을 모두 더한 수는
(평균)×(자료의 수)로
구할 수 있어요.

자료의 평균을 이용하여 ■의 값을 구하세요.

① 10, 7, ■ — 평균: **11**

자료의 수: 3

■ = ☐

② ■, 32, 12 — 평균: **24**

자료의 수: 3

■ = ☐

③ ■, 13, 9 — 평균: **12**

■ = ☐

④ 38, 5, ■ — 평균: **19**

■ = ☐

⑤ 17, ■, 14 — 평균: **15**

■ = ☐

⑥ ■, 50, 47 — 평균: **36**

■ = ☐

❼ 10, ■, 15, 13 　평균: 17

자료의 수: 4

■ = ☐

❽ 22, ■, 16, 18 　평균: 19

자료의 수: 4

■ = ☐

❾ 8, ■, 15, 6 　평균: 13

■ = ☐

❿ 19, ■, 24, 34 　평균: 31

■ = ☐

⓫ ■, 32, 24, 28 　평균: 26

■ = ☐

⓬ 23, 30, ■, 16 　평균: 22

■ = ☐

⓭ 9, 17, 14, ■, 18 　평균: 16

■ = ☐

⓮ 27, 40, 35, 22, ■ 　평균: 32

■ = ☐

⓯ 19, 3, ■, 27, 11 　평균: 14

■ = ☐

⓰ 8, 16, 28, ■, 28 　평균: 17

■ = ☐

평균을 이용하여 ■의 값 구하기

🐻📖 자료의 평균을 이용하여 ★의 값을 구하세요.

1 | ★, 9, 7 | 평균: 9

★ = ☐

2 | 22, ★, 19, 42 | 평균: 29

★ = ☐

3 | 15, 13, ★, 17 | 평균: 16

★ = ☐

4 | 14, ★, 15, 28 | 평균: 19

★ = ☐

🐻📖 카드에 적힌 수의 평균을 나타낸 것을 보고 빈 카드에 알맞은 수를 써넣으세요.

5 평균: 15

15　18　16　☐

6 평균: 13

☐　11　20　15

7 평균: 11

8　4　17　☐　15

8 평균: 25

30　☐　37　16　22

9 평균: 11

12　8　16　☐　7　20

10 평균: 10

11　3　16　9　☐　7

단체 줄넘기 대회에서 각 모둠이 준결승에 올라가려면 마지막에 적어도 몇 번을 넘어야 하는지 구하세요.

준결승 진출: 기록의 평균이 20번 이상

11

우리 모둠의 기록은 16번, 23번, ☐번이야.

라희

☐ 번

12

우리 모둠의 기록은 17번, 20번, ☐번이야.

지윤

☐ 번

13

우리 모둠의 기록은 23번, 21번, ☐번이야.

민준

☐ 번

14

우리 모둠의 기록은 15번, 18번, ☐번이야.

강준

☐ 번

문장 읽고 계산식 세우기

15 세 수 18, 15, ■의 평균이 17일 때, ■의 값은?

(세 수의 합) = **17** × ☐ = ☐

➡ ■ = ☐ − (**18** + **15**)

= ☐

답 _____

16 네 수 13, 15, 11, ■의 평균이 12일 때, ■의 값은?

(네 수의 합) = ☐ × **4** = ☐

➡ ■ = ☐ − (**13** + **15** + **11**)

= ☐

답 _____

평균을 이용하여 알맞은 수 구하기

• 3회의 과녁 맞히기 점수 구하기

해나의 과녁 맞히기 점수

회	1회	2회	3회	4회	평균
점수(점)	3	7		8	5

(해나의 전체 점수의 합)
$=$(평균)$\times$(횟수)$=5\times4=20$(점)
➡ (3회의 점수)
$\quad=20-(3+7+8)=2$(점)

전체 점수의 합은
(평균)$\times$(횟수)로
구할 수 있어요.

4
평
균

자료의 평균을 이용하여 표의 빈칸에 알맞은 수를 써넣으세요.

1 멀리 던지기 기록

회	1회	2회	3회	평균
기록(m)	20	25		22

2 가지고 있는 공책 수

이름	태호	세현	소정	평균
공책 수(권)	13		19	15

168

3 색종이 수

이름	세호	인주	선미	평균
색종이 수(장)	17	21		23

4 체육 점수

이름	은지	다은	병찬	혜인	평균
점수(점)	86	88	78		85

5 단원별 수학 점수

단원	1	2	3	4	평균
점수(점)		90	96	88	92

6 학생들의 키

이름	세영	준하	나현	평균
키(cm)	145		152	150

7 피아노 연습 시간

요일	월	화	수	평균
시간(분)	25	40		30

8 반별 학생 수

반	1	2	3	4	평균
학생 수(명)	26	23		24	25

9 오래 매달리기 기록

이름	소은	강우	가인	윤지	평균
기록(초)		6	8	5	7

10 투호에 넣은 화살 수

이름	지수	서진	승아	평균
화살 수(개)	9		7	7

11 줄넘기 기록

이름	영석	수희	재훈	영미	평균
기록(번)	62	55	42		50

12 혈액형별 학생 수

혈액형	A형	B형	O형	AB형	평균
학생 수(명)		39	50	14	35

13 입장객 수

날짜	1일	2일	3일	4일	평균
입장객 수(명)	36	49		33	40

14 100 m 달리기 기록

이름	우식	윤정	동현	평균
기록(초)	18	20		19

15 숙제한 시간

요일	월	화	수	목	평균
시간(분)	45	55		40	47

16 모자를 쓴 학생 수

학급(반)	1	2	3	4	평균
학생 수(명)	5	7	4		6

4

평균

평균을 이용하여 알맞은 수 구하기

🐻 자료의 평균을 이용하여 표의 빈칸에 알맞은 수를 써넣으세요.

1

●	▲	■	★	평균
10	8	9		10

2

●	▲	■	★	평균
30	46	26		36

3

●	▲	■	★	평균
26	28		30	27

4

●	▲	■	★	♥	평균
32	13	19	25		22

5

●	▲	■	★	♥	평균
4	13	23		7	12

6

●	▲	■	★	♥	평균
14	19		10	12	15

7

●	▲	■	★	♥	평균
7		9	20	18	12

8

●	▲	■	★	♥	평균
18		9	20	26	17

9

●	▲	■	★	♥	◆	평균
17	25	13		11	10	16

10

●	▲	■	★	♥	◆	평균
	20	18	12	9	16	14

평균

4

생활 속 문제

재하네 모둠의 운동 종목별 기록을 나타낸 것입니다. 기록의 평균을 이용하여 학생들의 기록을 구하세요.

재하네 모둠의 운동 종목별 기록

이름 \ 운동 종목	왕복 오래달리기	윗몸 말아 올리기	멀리 던지기
재하	80회	40회	25 m
예진	72회	36회	
호중	78회		34 m
다온		53회	30 m

11 왕복 오래달리기 기록의 평균: 75회

➡ (다온이의 기록)=☐회

12 윗몸 말아 올리기 기록의 평균: 43회

➡ (호중이의 기록)=☐회

(전체 기록의 합)
=(평균)×(사람의 수)로
구할 수 있습니다.

13 멀리 던지기 기록의 평균: 27 m

➡ (예진이의 기록)=☐ m

문장 읽고 계산식 세우기

14 세 수 38, 36, ♥의 평균이 36일 때, ♥의 값은?

(세 수의 합)=$36 \times$ ☐ = ☐

➡ ♥ = ☐ $-(38+36)$

= ☐

답 _____

15 네 수 55, 35, 46, ♥의 평균이 44일 때, ♥의 값은?

(네 수의 합)= ☐ $\times 4 =$ ☐

➡ ♥ = ☐ $-(55+35+46)$

= ☐

답 _____

4

평
균

171

SPEED 연산력 TEST

제한 시간 15분

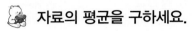 자료의 평균을 구하세요.

1 19, 24, 26

(평균)= ⬚

2 20, 15, 16

(평균)= ⬚

3 32, 28, 24

(평균)= ⬚

4 35, 30, 40, 23

(평균)= ⬚

5 27, 30, 45, 34

(평균)= ⬚

6 20, 19, 16, 17

(평균)= ⬚

7 19, 17, 22, 18

(평균)= ⬚

8 15, 23, 21, 17

(평균)= ⬚

9 20, 11, 16, 13, 15

(평균)= ⬚

10 45, 32, 41, 33, 39

(평균)= ⬚

4

평균

172

🐻 자료의 평균을 비교하여 ◯ 안에 >, =, <를 알맞게 써넣으세요.

⑪ 31, 36, 32 ◯ 34, 27, 35, 32

⑫ 20, 10, 23, 15 ◯ 21, 19, 11

⑬ 7, 16, 13, 8 ◯ 3, 6, 2, 4, 15

⑭ 32, 36, 37, 31 ◯ 27, 22, 34, 15, 22

4
평
균

🐻 자료의 평균을 이용하여 ■의 값을 구하세요.

⑮ 14, 12, ■   평균: 11

■ = [　　]

⑯ ■, 21, 17   평균: 18

■ = [　　]

⑰ ■, 12, 20, 33   평균: 23

■ = [　　]

⑱ 54, 69, ■, 72   평균: 64

■ = [　　]

⑲ 17, 15, 6, ■, 15   평균: 13

■ = [　　]

⑳ 8, ■, 13, 15, 6   평균: 12

■ = [　　]

173

제한 시간 안에 정확하게
모두 풀었다면 여러분은 진정한 계산왕!

문장제 문제 도전하기

🐻 주어진 자료를 이용하여 물음에 답하세요.

1

4,	6,	8

평균: ☐

→ 세 수 **4, 6, 8**의 평균은 얼마일까요?

식 $(4+6+8) \div 3 = $ ☐

답 _____

2

6,	7,	9,	6

평균: ☐

평균은 실생활에서 어떤 상황에 이용될까요?

→ 친구들이 가지고 있는 사탕 수의 평균은 몇 개일까요?

가지고 있는 사탕 수

이름	지수	연경	준호	태희
사탕 수(개)	6	7	9	6

식 $(6+7+9+6) \div 4 = $ ☐ (개)

답 _____ 개

3

가: **43, 45, 12, 16**

나: **42, 45, 18, 12, 8**

가의 평균 ◯ 나의 평균

→ 평균 나이가 더 많은 가족은 어느 가족일까요?

현호네 가족

엄마: 43세
아빠: 45세
현호: 12세
동생: 16세

미주네 가족

엄마: 42세
아빠: 45세
언니: 18세
미주: 12세
동생: 8세

(현호네 가족의 평균 나이) = ☐ (세)

(미주네 가족의 평균 나이) = ☐ (세)

답 _____ 가족

문장을 읽고 계산식을 세워 답을 구해 보자!

4 자료의 평균은 얼마일까요?

14, 10, 12, 16

(평균) = (14 + ☐ + ☐ + ☐) ÷ ☐ = ☐

5 지수네 모둠의 몸무게를 나타낸 표입니다. 지수네 모둠의 몸무게의 평균은 몇 kg일까요?

지수네 모둠의 몸무게

이름	지수	승현	정민	주영	세진
몸무게(kg)	34	40	29	37	35

(몸무게의 평균) = (34 + ☐ + ☐ + ☐ + ☐) ÷ ☐

= ☐ (kg)

6 한 시간 동안 읽은 책의 쪽수의 평균이 더 많은 사람은 누구일까요?

난 4시간 동안 92쪽 읽었어.

지선

난 3시간 동안 75쪽 읽었어.

민혁

(지선이가 한 시간 동안 읽은 책의 쪽수의 평균) = 92 ÷ ☐ = ☐ (쪽)

(민혁이가 한 시간 동안 읽은 책의 쪽수의 평균) = 75 ÷ ☐ = ☐ (쪽)

➡ 한 시간 동안 읽은 책의 쪽수의 평균이 더 많은 사람은 ☐ 입니다.

문장제 문제 도전하기

주어진 자료를 이용하여 물음에 답하세요.

7 65, 58, ★ 평균: 45 → 세 수 65, 58, ★의 평균이 45일 때 ★의 값은 얼마일까요?

★ = [ ]

평균은 실생활에서 어떤 상황에 이용될까요?

(자료의 값을 모두 더한 수) = [ ]

★ = [ ] − (65 + 58) = [ ]

답 _____

8 14, 11, ⊙, 15 평균: 13 → 표의 빈칸에 알맞은 수는 얼마일까요?

⊙ = [ ]

▲	◆	⊙	♥	평균
14	11		15	13

(자료의 값을 모두 더한 수) = [ ]

⊙ = [ ] − (14 + 11 + [ ]) = [ ]

답 _____

9 78, 63, 65, 70, ♥ → 지수의 줄넘기 기록의 평균이 68회라면 마지막 줄넘기의 기록은 몇 회일까요?

평균: 68

♥ = [ ]

지수

나의 기록의 78회, 63회, 65회, 70회, ♥회야.

(기록의 값을 모두 더한 수) = [ ]회

(마지막 줄넘기의 기록)

= [ ] − (78 + 63 + 65 + 70)

= [ ]

답 _____ 회

문장을 읽고 알맞게 식을 세워 답을 구해 보자!

10 네 수 **65**, **102**, **118**, ●의 평균이 **95**일 때 ●의 값을 구하세요.

(자료의 값을 모두 더한 수)=**95**× □ = □

●= □ −(**65**+**102**+ □)= □

11 주어진 수들의 평균이 **39**일 때 ▲의 값을 구하세요.

37, ▲, **36**, **43**, **38**

(자료의 값을 모두 더한 수)=**39**× □ = □

▲= □ −(**37**+**36**+ □ + □)= □

4

평균

12 정아가 **5**일 동안 마신 우유의 양을 나타낸 표입니다. **5**일 동안 마신 우유의 양의 평균이 **330** mL일 때 금요일에 마신 우유의 양은 몇 mL인지 구하세요.

정아가 마신 우유의 양

요일	월	화	수	목	금
우유의 양(mL)	400	350	230	420	

(**5**일 동안 마신 우유의 양)=**330**× □ = □ (mL)

(금요일에 마신 우유의 양)

= □ −(**400**+**350**+ □ + □)= □ (mL)

창의·융합·코딩·도전하기

어느 모둠이 더 잘했나?

창의 1 선호네 모둠과 가은이네 모둠 중 제기차기를 어느 모둠이 더 잘했다고 볼 수 있는지 구하세요.

선호네 모둠의 기록

이름	제기차기 기록(개)
선호	5
혜인	3
주미	1
상현	6
준영	10

가은이네 모둠의 기록

이름	제기차기 기록(개)
가은	9
석현	6
승우	4
진아	5

각 모둠의 제기차기 기록의 평균을 구해 보자.

선호네 모둠

(제기차기 기록의 평균)

$= (5+3+1+6+10) \div \boxed{} = \boxed{}$ (개)

가은이네 모둠

(제기차기 기록의 평균)

$= (9+6+4+5) \div \boxed{} = \boxed{}$ (개)

답 _____ 모둠

창의**2** 보기와 같이 ㉠은 꼭짓점에 있는 모든 수의 평균입니다. ㉠에 알맞은 수를 구하세요.

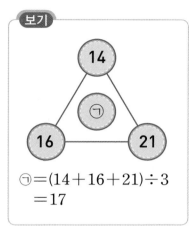

㉠＝(14＋16＋21)÷3
＝17

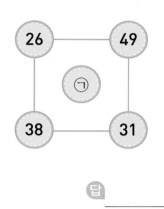

답 _____

4
평균

179

코딩**3** 보기의 네 수의 평균을 구하고 각각의 수를 화살표의 순서로 주어진 지시에 따라 판단하여 빈칸에 알맞게 써넣으세요.

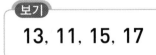

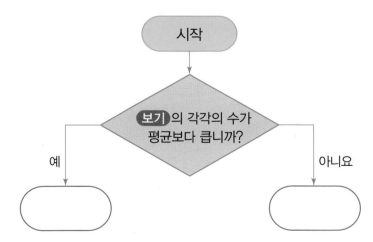

배움으로 행복한 내일을 꿈꾸는
천재교육 커뮤니티 안내 . . .

교재 안내부터 구매까지 한 번에!
천재교육 홈페이지

자사가 발행하는 참고서, 교과서에 대한 소개는 물론
도서 구매도 할 수 있습니다. 회원에게 지급되는 별을 모아
다양한 상품 응모에도 도전해 보세요!

다양한 교육 꿀팁에 깜짝 이벤트는 덤!
천재교육 인스타그램

천재교육의 새롭고 중요한 소식을 가장 먼저 접하고 싶다면?
천재교육 인스타그램 팔로우가 필수!
깜짝 이벤트도 수시로 진행되니 놓치지 마세요!

수업이 편리해지는
천재교육 ACA 사이트

오직 선생님만을 위한, 천재교육 모든 교재에 대한 정보가 담긴
아카 사이트에서는 다양한 수업자료 및 부가 자료는 물론
시험 출제에 필요한 문제도 다운로드하실 수 있습니다.

https://aca.chunjae.co.kr

천재교육을 사랑하는 샘들의 모임
천사샘

학원 강사, 공부방 선생님이시라면 누구나 가입할 수 있는 천사샘!
교재 개발 및 평가를 통해 교재 검토진으로 참여할 수 있는 기회는 물론
다양한 교사용 교재 증정 이벤트가 선생님을 기다립니다.

아이와 함께 성장하는 학부모들의 모임공간
튠맘 학습연구소

튠맘 학습연구소는 초·중등 학부모를 대상으로 다양한 이벤트와 함께
교재 리뷰 및 학습 정보를 제공하는 네이버 카페입니다.
초등학생, 중학생 자녀를 둔 학부모님이라면 튠맘 학습연구소로 오세요!

#차원이_다른_클라쓰
#강의전문교재
#초등교재

수학교재

●수학리더 시리즈
– 수학리더 [연산]	예비초~6학년/A·B단계
– 수학리더 [개념]	1~6학년/학기별
– 수학리더 [기본]	1~6학년/학기별
– 수학리더 [유형]	1~6학년/학기별
– 수학리더 [기본＋응용]	1~6학년/학기별
– 수학리더 [응용·심화]	1~6학년/학기별
신간 수학리더 [최상위]	3~6학년/학기별

●독해가 힘이다 시리즈 *문제해결력
– 수학도 독해가 힘이다	1~6학년/학기별
신간 초등 문해력 독해가 힘이다 문장제 수학편	1~6학년/단계별

●수학의 힘 시리즈
– 수학의 힘 알파[실력]	3~6학년/학기별
– 수학의 힘 베타[유형]	1~6학년/학기별

●Go! 매쓰 시리즈
– Go! 매쓰(Start) *교과서 개념	1~6학년/학기별
– Go! 매쓰(Run A/B/C) *교과서+사고력	1~6학년/학기별
– Go! 매쓰(Jump) *유형 사고력	1~6학년/학기별

●계산박사
	1~12단계

월간교재

●NEW 해법수학	1~6학년
●해법수학 단원평가 마스터	1~6학년 / 학기별
●월간 무등생평가	1~6학년

전과목교재

●리더 시리즈
– 국어	1~6학년/학기별
– 사회	3~6학년/학기별
– 과학	3~6학년/학기별

수학리더
연산
5B

- 혼자서도 이해할 수 있는 친절한 문제 풀이

- OX퀴즈로 계산 원리 다시 알아보기

천재교육

해법전략
포인트 ③가지

▶ 혼자서도 이해할 수 있는 친절한 문제 풀이

▶ 참고, 주의 등 자세한 풀이 제시

▶ OX퀴즈로 계산 원리 다시 알아보기

정답과 해설

1 수의 범위와 어림하기

✳ 개념 ○✕ 퀴즈

옳으면 ○에, 틀리면 ✕에 ○표 하세요.

245를 올림하여 백의 자리까지
나타내면 200입니다.

정답은 5쪽에서 확인하세요.

1 일차   기초 계산 연습   6~7쪽

❶ 8, 9, 10에 ○표
❷ 12, 13에 ○표
❸ 14, 15, 16에 ○표
❹ 25, 26에 ○표
❺ 7, 10에 ○표
❻ 45, 34에 ○표
❼ 24, 31에 ○표
❽ 50, 49에 ○표
❾ 19, 21에 ○표
❿ 57, 51에 ○표
⓫ 4, 5, 6에 ○표
⓬ 12, 13에 ○표
⓭ 20, 21에 ○표
⓮ 31, 32, 33에 ○표
⓯ 41, 40에 ○표
⓰ 12, 15에 ○표
⓱ 16, 25에 ○표
⓲ 50, 49에 ○표
⓳ 39, 25에 ○표
⓴ 49, 50에 ○표
㉑ 9, 10에 ○표
㉒ 39, 41에 ○표
㉓ 20, 17에 ○표
㉔ 20, 15, 28에 ○표

❼ 21과 같거나 큰 수를 모두 찾습니다.

❽ 49와 같거나 큰 수를 모두 찾습니다.

❾ 17과 같거나 큰 수를 모두 찾습니다.

❿ 50과 같거나 큰 수를 모두 찾습니다.

㉑ 11과 같거나 작은 수를 모두 찾습니다.

㉒ 44와 같거나 작은 수를 모두 찾습니다.

㉓ 21과 같거나 작은 수를 모두 찾습니다.

㉔ 30과 같거나 작은 수를 모두 찾습니다.

1 일차   플러스 계산 연습   8~9쪽

1 25, 32, 19에 ○표
2 17, 25, 16에 ○표
3 35, 51에 ○표
4 16, 5, 9에 ○표
5 54, 63에 ○표
6 48, 52에 ○표
7 10, 12
8 9, 16, 8
9 42, 58, 35
10 32, 42
11 29, 30
12 19, 23
13 43, 52
14 50, 48
15 72, 70
16 (10 20 30 40 50 60 70 80 90)
17 (30 40 50 60 70 80 90 100 110)
18 19
19 16
20 16
21 25
22 30
23 47

16 70에 점 ●으로 표시하고 왼쪽으로 선을 긋습니다.

17 100에 점 ●으로 표시하고 왼쪽으로 선을 긋습니다.

18 19 이상인 수는 19와 같거나 큰 수이므로 14, 15, 19 중 19 이상인 수는 19입니다.

19 20 이하인 수는 20과 같거나 작은 수이므로 24, 16, 48 중 20 이하인 수는 16입니다.

2 일차   기초 계산 연습   10~11쪽

❶ 5, 6에 ○표
❷ 10, 11, 12에 ○표
❸ 13, 14에 ○표
❹ 21, 22, 23에 ○표
❺ 35, 45에 ○표
❻ 29, 32에 ○표
❼ 46, 50에 ○표
❽ 51, 60, 72에 ○표
❾ 40, 57에 ○표
❿ 45, 63에 ○표
⓫ 2, 3, 4에 ○표
⓬ 6, 7에 ○표
⓭ 9, 10에 ○표
⓮ 14, 15, 16에 ○표
⓯ 15, 20에 ○표
⓰ 19, 21에 ○표
⓱ 32, 30에 ○표
⓲ 40, 39에 ○표
⓳ 28, 15에 ○표
⓴ 30, 28, 44에 ○표
㉑ 27, 50에 ○표
㉒ 59, 47에 ○표
㉓ 80, 75에 ○표
㉔ 72, 69, 70에 ○표

정답과 해설

⑨ 37보다 큰 수를 모두 찾습니다.

⑩ 41보다 큰 수를 모두 찾습니다.

㉓ 82보다 작은 수를 모두 찾습니다.

㉔ 77보다 작은 수를 모두 찾습니다.

2 일차   플러스 계산 연습   12~13쪽

1 25, 31에 ○표   **2** 17, 19에 ○표

3 42, 47에 ○표   **4** 19, 25, 34에 ○표

5 59, 60, 78에 ○표   **6** 65, 54, 40에 ○표

7 9, 12   **8** 9, 7, 14

9 25, 27   **10** 14, 20

11 32, 35   **12** 30, 28

13 47, 56, 45   **14** 58, 50, 45

15 65, 70

16

17

18

19

20 25   **21** 9

22 23   **23** 34

---

16 25명보다 많은 버스를 찾으면 26명입니다.

17 25명보다 많은 버스를 찾으면 29명입니다.

18 25명보다 많은 버스를 찾으면 28명입니다.

19 25명보다 많은 버스를 찾으면 27명입니다.

20 20 초과인 수는 20보다 큰 수이므로 15, 25, 19 중 20 초과인 수는 25입니다.

21 12 미만인 수는 12보다 작은 수이므로 9, 16, 12 중 12 미만인 수는 9입니다.

3 일차   기초 계산 연습   14~15쪽

① 8, 9, 10, 11에 ○표   ② 10, 11, 12에 ○표

③ 11, 12, 13에 ○표

④ 16, 17, 18, 19에 ○표

⑤ 25, 26, 27에 ○표

⑥ 31, 32, 33, 34에 ○표

⑦ 54, 55, 56에 ○표   ⑧ 43, 44, 45에 ○표

⑨ 35, 36, 37, 38, 39에 ○표

⑩ 47, 48, 49에 ○표   ⑪ 29, 25에 ○표

⑫ 33, 35에 ○표   ⑬ 47, 45, 50에 ○표

⑭ 58, 57에 ○표   ⑮ 41, 42에 ○표

⑯ 61, 62, 66, 67에 ○표

⑰ 49, 50, 45에 ○표

⑱ 72, 68, 70에 ○표   ⑲ 35, 41, 37에 ○표

⑳ 27, 29, 30, 33에 ○표

㉑ 68, 67, 58에 ○표   ㉒ 51, 49에 ○표

3 일차   플러스 계산 연습   16~17쪽

1 36, 35, 37, 28에 ○표

2 47, 50, 52, 49에 ○표

3 45, 39에 ○표

4 52, 66, 62, 50에 ○표

5 78, 75, 88, 86에 ○표

6 86, 95, 92에 ○표

7 12, 10   **8** 22, 20   **9** 32, 30, 33

10 42, 40   **11** 50, 52   **12** 62, 65, 60

13 50, 55, 52에 ○표   **14** 48, 45, 49에 ○표

15 35, 28, 30에 ○표   **16** 15, 25, 33에 ○표

17 6   **18** 5

19 3   **20** 4

---

17 5 이상 10 이하인 자연수:
5, 6, 7, 8, 9, 10 ➡ 6개

18 17 이상 22 미만인 자연수:
17, 18, 19, 20, 21 ➡ 5개

19 25 초과 29 미만인 자연수:
26, 27, 28 ➡ 3개

20 33 초과 37 이하인 자연수:
34, 35, 36, 37 ➡ 4개

정답과 해설

④ 일차 기초 계산 연습 18~19쪽

❶ 330	❷ 600	❸ 460
❹ 630	❺ 800	❻ 990
❼ 510	❽ 400	❾ 570
❿ 400	⓫ 300	⓬ 130
⓭ 2550	⓮ 4400	⓯ 7000
⓰ 5580	⓱ 1300	⓲ 5000
⓳ 1630	⓴ 1100	㉑ 3000
㉒ 1590	㉓ 4200	㉔ 4000
㉕ 2590	㉖ 1800	㉗ 7000

㉒ 1587 ➡ 1590

㉓ 41<u>01</u> ➡ 4200

㉔ 3<u>030</u> ➡ 4000

㉕ 258<u>2</u> ➡ 2590

㉖ 17<u>23</u> ➡ 1800

㉗ 6<u>208</u> ➡ 7000

⑤ 일차 기초 계산 연습 22~23쪽

❶ 110	❷ 200	❸ 330
❹ 750	❺ 500	❻ 450
❼ 320	❽ 800	❾ 620
❿ 300	⓫ 100	⓬ 390
⓭ 1250	⓮ 1600	⓯ 2000
⓰ 5020	⓱ 6000	⓲ 8000
⓳ 5080	⓴ 1000	㉑ 4000
㉒ 5050	㉓ 4100	㉔ 3000
㉕ 1230	㉖ 2200	㉗ 3000

㉒ 50<u>50</u> ➡ 5050

㉓ 41<u>44</u> ➡ 4100

㉔ 3<u>690</u> ➡ 3000

㉕ 123<u>8</u> ➡ 1230

㉖ 22<u>57</u> ➡ 2200

㉗ 3<u>051</u> ➡ 3000

④ 일차 플러스 계산 연습 20~21쪽

1 1.3	**2** 3.6	**3** 4.1
4 1.5	**5** 8.6	**6** 9.6
7 5.65	**8** 6.06	**9** 7.31
10 590		**11** 380
12 500		**13** 5200
14 8000		**15** 5000
16 1.5		**17** 5.9
18 3.21		**19** 4.18
20 7		**21** 4
22 360		**23** 900
24 1100		**25** 8000

20 올림으로 어림합니다.
642 ➡ 700이므로 사야 할 끈의 길이는 최소
700 cm=7 m입니다.

21 올림으로 어림합니다.
315 ➡ 400이므로 사야 할 끈의 길이는 최소
400 cm=4 m입니다.

⑤ 일차 플러스 계산 연습 24~25쪽

1 1.2	**2** 2.5	**3** 5.8
4 2.8	**5** 3.8	**6** 6.4
7 2.15	**8** 5.04	**9** 3.75
10 170		**11** 2410
12 500		**13** 3200
14 7000		**15** 5000
16 1.4		**17** 2.5
18 4.03		**19** 3.78
20 5		**21** 6
22 120		**23** 300
24 4100		**25** 6000

20 버림으로 어림합니다.
5<u>4</u> ➡ 50이므로 최대 5상자까지 팔 수 있습니다.

21 버림으로 어림합니다.
6<u>6</u> ➡ 60이므로 최대 6상자까지 팔 수 있습니다.

22 12<u>6</u> ➡ 120   **23** 30<u>5</u> ➡ 300

24 41<u>28</u> ➡ 4100   **25** 6<u>053</u> ➡ 6000

6 일차 기초 계산 연습 26~27쪽

❶ 260	❷ 110	❸ 130
❹ 300	❺ 500	❻ 300
❼ 1300	❽ 3600	❾ 4700
❿ 1000	⓫ 3000	⓬ 6000
⓭ 2060	⓮ 1700	⓯ 4000
⓰ 4350	⓱ 3700	⓲ 2000
⓳ 3290	⓴ 7900	㉑ 6000
㉒ 4130	㉓ 5300	㉔ 3000
㉕ 3060	㉖ 8500	㉗ 5000

6 일차 플러스 계산 연습 28~29쪽

1 3.6	**2** 2.6	**3** 3.5
4 3.59	**5** 4.12	**6** 6.36
7 5	**8** 7	**9** 9
10 3250, 3200	**11** 4510, 4500	
12 2580, 3000	**13** 6590, 7000	
14 5100, 5000	**15** 7200, 7000	
16 3.18	**17** 5.7	**18** 3
19 10	**20** 52	
21 360	**22** 200	
23 4500	**24** 6000	

19 10.2 ➡ 약 10 cm

20 51.7 ➡ 약 52 cm

7 일차 기초 계산 연습 30~31쪽

❶ 230, 220, 230	❷ 590, 580, 580
❸ 410, 400, 410	❹ 730, 720, 730
❺ 600, 500, 600	❻ 700, 600, 600
❼ 400, 300, 400	❽ 800, 700, 700
❾ 2820, 2810, 2820	❿ 3760, 3750, 3760
⓫ 6600, 6500, 6600	⓬ 5100, 5000, 5000
⓭ 5000, 4000, 5000	⓮ 9000, 8000, 8000
⓯ 3.6, 3.5, 3.6	⓰ 7.4, 7.3, 7.3
⓱ 4.26, 4.25, 4.26	⓲ 5.36, 5.35, 5.35

⓭

〈올림〉	〈버림〉	〈반올림〉
4583 ➡ 5000	4583 ➡ 4000	4583 ➡ 5000

⓮

〈올림〉	〈버림〉	〈반올림〉
8083 ➡ 9000	8083 ➡ 8000	8083 ➡ 8000

⓯

〈올림〉	〈버림〉	〈반올림〉
3.58 ➡ 3.6	3.58 ➡ 3.5	3.58 ➡ 3.6

⓰

〈올림〉	〈버림〉	〈반올림〉
7.34 ➡ 7.4	7.34 ➡ 7.3	7.34 ➡ 7.3

⓱

〈올림〉	〈버림〉	〈반올림〉
4.259 ➡ 4.26	4.259 ➡ 4.25	4.259 ➡ 4.26

⓲

〈올림〉	〈버림〉	〈반올림〉
5.352 ➡ 5.36	5.352 ➡ 5.35	5.352 ➡ 5.35

7 일차 플러스 계산 연습 32~33쪽

1 3330, 3320, 3330	**2** 1600, 1500, 1600
3 6000, 5000, 5000	**4** 5, 4, 4
5 1590, 1600	**6** 5220, 5300
7 3300, 4000	**8** 6900, 7000
9 3580, 3500	**10** 1250, 1200
11 4500, 4000	**12** 7600, 7000
13 5840, 5800	**14** 2110, 2100
15 7400, 7000	**16** 6700, 7000
17 1.2, 1.23	**18** 5.3, 5.32
19 160	**20** 2300
21 700	**22** 3000

7

〈백의 자리까지〉	〈천의 자리까지〉
3258 ➡ 3300	3258 ➡ 4000

8

〈백의 자리까지〉	〈천의 자리까지〉
6835 ➡ 6900	6835 ➡ 7000

11

〈백의 자리까지〉	〈천의 자리까지〉
4536 ➡ 4500	4536 ➡ 4000

12

〈백의 자리까지〉	〈천의 자리까지〉
7608 ➡ 7600	7608 ➡ 7000

17

〈소수 첫째 자리까지〉	〈소수 둘째 자리까지〉
1.225 ➡ 1.2	1.225 ➡ 1.23

18

〈소수 첫째 자리까지〉	〈소수 둘째 자리까지〉
5.315 ➡ 5.3	5.315 ➡ 5.32

평가 SPEED 연산력 TEST 34~35쪽

❶ 17, 15, 20에 ○표 ❷ 22, 17, 20에 ○표
❸ 50, 49, 52에 ○표 ❹ 35, 24에 ○표
❺ 9, 11, 13에 ○표 ❻ 22, 19, 21에 ○표
❼ 28, 30, 32에 ○표 ❽ 33, 44에 ○표
❾ 29, 30, 33에 ○표 ❿ 70, 65에 ○표
⓫ 65, 60, 56에 ○표 ⓬ 76, 82, 80에 ○표
⓭ 2260, 2250, 2260 ⓮ 3530, 3520, 3530
⓯ 1500, 1400, 1400 ⓰ 3000, 2000, 3000
⓱ 3.3, 3.2, 3.2 ⓲ 6.5, 6.4, 6.5
⓳ 3.25, 3.24, 3.25 ⓴ 6.22, 6.21, 6.21
㉑ 9, 8, 8 ㉒ 8, 7, 8

⓳
〈올림〉	〈버림〉	〈반올림〉
3.2<u>4</u>8 ➡ 3.25	3.2<u>4</u>8 ➡ 3.24	3.2<u>4</u>8 ➡ 3.25

⓴
〈올림〉	〈버림〉	〈반올림〉
6.21<u>1</u> ➡ 6.22	6.21<u>1</u> ➡ 6.21	6.21<u>1</u> ➡ 6.21

㉑
〈올림〉	〈버림〉	〈반올림〉
8.<u>3</u> ➡ 9	8.<u>3</u> ➡ 8	8.<u>3</u> ➡ 8

㉒
〈올림〉	〈버림〉	〈반올림〉
7.5<u>4</u> ➡ 8	7.5<u>4</u> ➡ 7	7.5<u>4</u> ➡ 8

특강 문장제 문제 도전하기 36~39쪽

1 92에 ○표 ; 유경 2 45에 ○표 ; 주희
3 45에 ○표 ; 선주 4 나영
5 소담 6 민주
7 170 ; 170 8 300 ; 3
9 26 ; 26 10 390
11 7 12 21

4 국어 점수가 85점과 같거나 낮은 학생은 85점인 나영입니다.

5 오래매달리기 기록이 27초와 같거나 긴 학생은 29초인 소담입니다.

6 키가 154 cm보다 작은 학생은 151 cm인 민주입니다.

7 올림으로 어림합니다.
16<u>8</u> ➡ 170이므로 색종이는 최소 170장 사야 합니다.

8 버림으로 어림합니다.
3<u>28</u> ➡ 300이므로 귤은 최대 3상자까지 팔 수 있습니다.

9 25.<u>5</u> ➡ 약 26 cm

10 올림으로 어림합니다.
38<u>5</u> ➡ 390이므로 필통은 최소 390개 사야 합니다.

11 버림으로 어림합니다.
7<u>29</u> ➡ 700이므로 사과는 최대 7상자까지 팔 수 있습니다.

12 20.<u>8</u> ➡ 약 21 cm

특강 창의·융합·코딩·도전하기 40~41쪽

창의❶ 5, 6, 7, 8, 9 ; 6, 7, 8, 9 ; 5 ; 5
코딩❷ 3000 융합❸ 87000

창의❶ • 5 이상인 수는 5와 같거나 큰 수입니다.
• 5 초과인 수는 5보다 큰 수입니다.

코딩❷ • 2542(올림하여 십의 자리까지) ➡ 2550
• 2550(버림하여 백의 자리까지) ➡ 2500
• 출력값:
2500(반올림하여 천의 자리까지) ➡ 3000

융합❸ 70달러=1250×70=87500(원)이므로
87500원을 1000원짜리로 바꾸면 최대 87000원까지 바꿀 수 있습니다.

✳ 개념 ○✕ 퀴즈 정답

정답과 해설

2 분수의 곱셈

 개념 ○✕ 퀴즈

옳으면 ◯에, 틀리면 ✕에 ◯표 하세요.

$$\frac{1}{6} \times \frac{3}{8} = \frac{1}{16}$$

◯   ✕

정답은 14쪽에서 확인하세요.

---

1 일차   **기초 계산 연습**   *44~45쪽*

❶ 3, 3   ❷ 4, 8
❸ 3, 3   ❹ 3, 3
❺ 1, 1, 7, $3\frac{1}{2}$ ❻ 1, 1, 5, $2\frac{1}{2}$
❼ 2, 2, 26, $5\frac{1}{5}$ ❽ 2, 2, 14, $2\frac{4}{5}$
❾ $8\frac{3}{4}$ ❿ $3\frac{6}{7}$ ⓫ $3\frac{1}{5}$
⓬ $1\frac{1}{15}$ ⓭ $4\frac{1}{6}$ ⓮ $2\frac{1}{10}$
⓯ $3\frac{2}{3}$ ⓰ $4\frac{6}{7}$ ⓱ $3\frac{1}{3}$
⓲ $11\frac{1}{4}$ ⓳ $\frac{4}{5}$ ⓴ $3\frac{7}{9}$
㉑ $6\frac{2}{3}$ ㉒ $5\frac{1}{2}$ ㉓ $4\frac{2}{3}$
㉔ $6\frac{3}{4}$ ㉕ $\frac{3}{13}$ ㉖ $11\frac{2}{3}$
㉗ $7\frac{1}{2}$ ㉘ $7\frac{3}{7}$ ㉙ $5\frac{2}{3}$

㉗ $\dfrac{5}{\underset{2}{16}} \times \overset{3}{24} = \dfrac{15}{2} = 7\frac{1}{2}$

㉘ $\dfrac{13}{\underset{7}{42}} \times \overset{4}{24} = \dfrac{52}{7} = 7\frac{3}{7}$

㉙ $\dfrac{17}{\underset{3}{39}} \times \overset{1}{13} = \dfrac{17}{3} = 5\frac{2}{3}$

---

1 일차   **플러스 계산 연습**   *46~47쪽*

1 $2\frac{1}{3}$ **2** $6\frac{2}{3}$ **3** $5\frac{2}{3}$
4 4   **5** $8\frac{1}{4}$ **6** $11\frac{1}{4}$
7 21   **8** $10\frac{1}{2}$ **9** $9\frac{3}{4}$
10 $11\frac{2}{3}$ **11** $4\frac{1}{5}$
12 $1\frac{1}{2}$ **13** $22\frac{1}{2}$
14 $3\frac{1}{3}$ **15** 10
16 $11\frac{2}{3}$ **17** $9\frac{2}{7}$
18 $2\frac{8}{11}$ **19** $4\frac{1}{2}$
20 $5\frac{1}{3}$ **21** 12, $5\frac{1}{4}$
22 $6\frac{3}{7}$ **23** 18, $13\frac{1}{5}$

21 $\dfrac{7}{\underset{4}{16}} \times \overset{3}{12} = \dfrac{21}{4} = 5\frac{1}{4}$ (L)

23 $\dfrac{11}{\underset{5}{15}} \times \overset{6}{18} = \dfrac{66}{5} = 13\frac{1}{5}$ (kg)

---

2 일차   **기초 계산 연습**   *48~49쪽*

❶ 5, 5, 40, 13, 1   ❷ 7, 7, 21, 10, 1
❸ 7, 7, 35, 17, 1   ❹ 5, 5, 15, 7, 1
❺ 17, 17, 17, 8, 1   ❻ 11, 11, 22, 7, 1
❼ $6\frac{2}{7}$ ❽ $3\frac{1}{4}$ ❾ $13\frac{1}{2}$
❿ $21\frac{3}{4}$ ⓫ $8\frac{10}{11}$ ⓬ 14
⓭ $11\frac{1}{3}$ ⓮ 20   ⓯ 60
⓰ $2\frac{3}{8}$ ⓱ $29\frac{1}{2}$ ⓲ $12\frac{3}{7}$
⓳ $10\frac{4}{5}$ ⓴ $14\frac{2}{3}$ ㉑ $20\frac{2}{3}$
㉒ $38\frac{2}{3}$ ㉓ $6\frac{6}{7}$ ㉔ $5\frac{1}{2}$
㉕ $37\frac{1}{2}$ ㉖ $8\frac{8}{11}$ ㉗ $35\frac{5}{6}$

6

㉓ $3\frac{3}{7}\times 2=\frac{24}{7}\times 2=\frac{48}{7}=6\frac{6}{7}$

㉔ $1\frac{3}{8}\times 4=\frac{11}{\underset{2}{8}}\times \overset{1}{4}=\frac{11}{2}=5\frac{1}{2}$

㉕ $3\frac{3}{4}\times 10=\frac{15}{\underset{2}{4}}\times \overset{5}{10}=\frac{75}{2}=37\frac{1}{2}$

㉖ $1\frac{5}{11}\times 6=\frac{16}{11}\times 6=\frac{96}{11}=8\frac{8}{11}$

㉗ $3\frac{7}{12}\times 10=\frac{43}{\underset{6}{12}}\times \overset{5}{10}=\frac{215}{6}=35\frac{5}{6}$

2 일차 플러스 계산 연습 50~51쪽

1 $7\frac{1}{2}$ **2** $13\frac{2}{3}$ **3** $12\frac{2}{5}$

4 $32\frac{1}{2}$ **5** $12\frac{3}{4}$ **6** $3\frac{5}{11}$

7 $16\frac{2}{3}$ **8** 75 **9** $7\frac{3}{4}$

10 $4\frac{1}{2}$ **11** $18\frac{1}{2}$

12 $18\frac{1}{3}$ **13** $11\frac{1}{2}$

14 $7\frac{3}{5}$ **15** $70\frac{1}{2}$

16 $14\frac{4}{13}$ **17** $4\frac{3}{7}$

18 $7\frac{2}{3}$ **19** $16\frac{2}{3}$

20 $13\frac{3}{4}$ **21** $9,\ 24\frac{3}{5}$

22 $15\frac{5}{9}$ **23** $6,\ 21\frac{1}{3}$

20 $1\frac{3}{8}\times 10=\frac{11}{\underset{4}{8}}\times \overset{5}{10}=\frac{55}{4}=13\frac{3}{4}$ (m)

21 $2\frac{11}{15}\times 9=\frac{41}{\underset{5}{15}}\times \overset{3}{9}=\frac{123}{5}=24\frac{3}{5}$ (m)

22 $1\frac{8}{27}\times 12=\frac{35}{\underset{9}{27}}\times \overset{4}{12}=\frac{140}{9}=15\frac{5}{9}$ (kg)

23 $3\frac{5}{9}\times 6=\frac{32}{\underset{3}{9}}\times \overset{2}{6}=\frac{64}{3}=21\frac{1}{3}$ (kg)

3 일차 기초 계산 연습 52~53쪽

❶ 6, 1, 1   ❷ 3, 9
❸ 24, 4, 4   ❹ 3, 3
❺ 3, 9   ❻ 9, 27, 5, 2
❼ 5, 25, 12, 1   ❽ 3, 9

❾ $1\frac{2}{3}$ ❿ 15   ⓫ 16

⓬ $1\frac{1}{3}$ ⓭ $1\frac{1}{6}$ ⓮ $4\frac{1}{2}$

⓯ $2\frac{6}{11}$ ⓰ $3\frac{1}{3}$ ⓱ 4

⓲ $11\frac{1}{3}$ ⓳ $9\frac{1}{6}$ ⓴ $6\frac{1}{2}$

㉑ $6\frac{2}{3}$ ㉒ $16\frac{1}{2}$ ㉓ $4\frac{1}{5}$

㉔ 15   ㉕ $2\frac{1}{3}$ ㉖ 10

㉗ $3\frac{1}{3}$ ㉘ $\frac{3}{4}$ ㉙ $1\frac{2}{3}$

㉘ $\frac{1}{\underset{4}{5}}\times \frac{3}{20}=\frac{3}{4}$

㉙ $\frac{1}{\underset{3}{3}}\times \frac{5}{9}=\frac{5}{3}=1\frac{2}{3}$

3 일차 플러스 계산 연습 54~55쪽

1 $8\frac{3}{4}$ **2** $7\frac{1}{2}$ **3** $2\frac{1}{2}$

4 $11\frac{1}{5}$ **5** $1\frac{5}{9}$ **6** $14\frac{2}{3}$

7 $4\frac{1}{5}$ **8** $4\frac{1}{3}$ **9** $15\frac{1}{6}$

10 10 **11** $5\frac{5}{6}$

12 $2\frac{2}{5}$ **13** 10

14 $13\frac{1}{2}$ **15** $7\frac{1}{2}$

16 $4\frac{1}{5}$ **17** $2\frac{1}{3}$

18 $45\frac{1}{2}$ **19** 45

20 $25\frac{1}{2}$ **21** $\frac{23}{25},\ 55\frac{1}{5}$

22 $26\frac{1}{4}$ **23** $\frac{11}{18},\ 18\frac{1}{3}$

18 $\overset{7}{49} \times \dfrac{13}{\underset{2}{14}} = \dfrac{91}{2} = 45\dfrac{1}{2}$ (kg)

19 $\overset{9}{54} \times \dfrac{5}{\underset{1}{6}} = 45$ (kg)

20 $\overset{3}{42} \times \dfrac{17}{\underset{2}{28}} = \dfrac{51}{2} = 25\dfrac{1}{2}$ (m)

21 $\overset{12}{60} \times \dfrac{23}{\underset{5}{25}} = \dfrac{276}{5} = 55\dfrac{1}{5}$ (m)

22 $\overset{15}{45} \times \dfrac{7}{\underset{4}{12}} = \dfrac{105}{4} = 26\dfrac{1}{4}$ (kg)

23 $\overset{5}{30} \times \dfrac{11}{\underset{3}{18}} = \dfrac{55}{3} = 18\dfrac{1}{3}$ (kg)

④ 일차　기초 계산 연습　56~57쪽

❶ 3, 3, 15, 7, 1　　❷ 11, 11, 33, 6, 3
❸ 8, 8, 56, 18, 2　　❹ 13, 13, 39, 19, 1
❺ 11, 11, 22, 7, 1　　❻ 49, 49, 49, 12, 1
❼ $10\dfrac{1}{2}$　　❽ $2\dfrac{2}{7}$　　❾ $5\dfrac{4}{5}$
❿ $46\dfrac{1}{2}$　　⓫ 52　　⓬ $16\dfrac{1}{4}$
⓭ $4\dfrac{1}{2}$　　⓮ $11\dfrac{1}{2}$　　⓯ $9\dfrac{1}{5}$
⓰ $42\dfrac{1}{2}$　　⓱ $7\dfrac{2}{3}$　　⓲ $10\dfrac{1}{5}$
⓳ 18　　⓴ $37\dfrac{1}{2}$　　㉑ $6\dfrac{3}{5}$
㉒ $10\dfrac{2}{7}$　　㉓ $42\dfrac{1}{2}$　　㉔ $36\dfrac{4}{5}$
㉕ $6\dfrac{1}{6}$　　㉖ 58　　㉗ $7\dfrac{3}{5}$

㉕ $5 \times 1\dfrac{7}{30} = \overset{1}{5} \times \dfrac{37}{\underset{6}{30}} = \dfrac{37}{6} = 6\dfrac{1}{6}$

㉖ $12 \times 4\dfrac{5}{6} = \overset{2}{12} \times \dfrac{29}{\underset{1}{6}} = 58$

㉗ $6 \times 1\dfrac{4}{15} = \overset{2}{6} \times \dfrac{19}{\underset{5}{15}} = \dfrac{38}{5} = 7\dfrac{3}{5}$

④ 일차　플러스 계산 연습　58~59쪽

1 $2\dfrac{4}{5}$　　**2** $14\dfrac{2}{3}$　　**3** $8\dfrac{2}{3}$
4 $18\dfrac{1}{3}$　　**5** $16\dfrac{1}{2}$　　**6** $12\dfrac{2}{3}$
7 $12\dfrac{1}{3}$　　**8** 62　　**9** $72\dfrac{1}{2}$
10 $23\dfrac{2}{5}$　　　　**11** 13
12 $8\dfrac{1}{2}$　　　　**13** $15\dfrac{3}{4}$
14 $11\dfrac{1}{3}$　　　　**15** $7\dfrac{1}{3}$
16 $9\dfrac{1}{2}$　　　　**17** $13\dfrac{5}{7}$
18 $14\dfrac{1}{2}$　　　　**19** 40
20 22　　　　**21** $2\dfrac{5}{6}$, 68
22 $2\dfrac{1}{2}$　　　　**23** $2\dfrac{5}{6}$, $8\dfrac{1}{2}$

16 $3 \times 3\dfrac{1}{6} = \overset{1}{3} \times \dfrac{19}{\underset{2}{6}} = \dfrac{19}{2} = 9\dfrac{1}{2}$

17 $8 \times 1\dfrac{5}{7} = 8 \times \dfrac{12}{7} = \dfrac{96}{7} = 13\dfrac{5}{7}$

18 $13 \times 1\dfrac{3}{26} = \overset{1}{13} \times \dfrac{29}{\underset{2}{26}} = \dfrac{29}{2} = 14\dfrac{1}{2}$

19 $18 \times 2\dfrac{2}{9} = \overset{2}{18} \times \dfrac{20}{\underset{1}{9}} = 40$

20 $18 \times 1\dfrac{2}{9} = \overset{2}{18} \times \dfrac{11}{\underset{1}{9}} = 22$(장)

21 $24 \times 2\dfrac{5}{6} = \overset{4}{24} \times \dfrac{17}{\underset{1}{6}} = 68$(장)

22 $2 \times 1\dfrac{1}{4} = \overset{1}{2} \times \dfrac{5}{\underset{2}{4}} = \dfrac{5}{2} = 2\dfrac{1}{2}$ (m²)

23 $3 \times 2\dfrac{5}{6} = \overset{1}{3} \times \dfrac{17}{\underset{2}{6}} = \dfrac{17}{2} = 8\dfrac{1}{2}$ (m²)

평가 SPEED 연산력 TEST 60~61쪽

❶ $1\frac{5}{7}$ 　❷ $4\frac{4}{9}$ 　❸ $5\frac{1}{4}$

❹ $3\frac{1}{2}$ 　❺ 51 　❻ $14\frac{2}{3}$

❼ $6\frac{4}{5}$ 　❽ $10\frac{2}{3}$ 　❾ 27

❿ 28 　⓫ $12\frac{1}{2}$ 　⓬ $17\frac{1}{3}$

⓭ $4\frac{7}{12}$ 　⓮ $8\frac{4}{13}$ 　⓯ $13\frac{4}{5}$

⓰ $6\frac{1}{5}$ 　⓱ 45 　⓲ $18\frac{3}{4}$

⓳ $7\frac{1}{2}$ 　⓴ $13\frac{1}{3}$

㉑ 72 　㉒ $70\frac{2}{3}$

㉓ $28\frac{1}{2}$ 　㉔ $3\frac{3}{8}$

㉕ $3\frac{1}{5}$ 　㉖ $4\frac{8}{9}$

㉗ $19\frac{1}{3}$ 　㉘ $11\frac{1}{3}$

㉙ 26 　㉚ $15\frac{3}{7}$

㉓ $1\frac{7}{12}\times18=\frac{19}{12}\times\overset{3}{18}=\frac{57}{2}=28\frac{1}{2}$

㉔ $\overset{3}{15}\times\frac{9}{40}=\frac{27}{8}=3\frac{3}{8}$

㉕ $\overset{4}{12}\times\frac{4}{15}=\frac{16}{5}=3\frac{1}{5}$

㉖ $\overset{4}{20}\times\frac{11}{45}=\frac{44}{9}=4\frac{8}{9}$

㉗ $14\times1\frac{8}{21}=\overset{2}{14}\times\frac{29}{21}=\frac{58}{3}=19\frac{1}{3}$

㉘ $5\times2\frac{4}{15}=\overset{1}{5}\times\frac{34}{15}=\frac{34}{3}=11\frac{1}{3}$

㉙ $16\times1\frac{5}{8}=\overset{2}{16}\times\frac{13}{8}=26$

㉚ $9\times1\frac{5}{7}=9\times\frac{12}{7}=\frac{108}{7}=15\frac{3}{7}$

5 일차 기초 계산 연습 62~63쪽

❶ 3, 12 　❷ 5, 15

❸ 6, 12 　❹ 2, 14

❺ 8, 40 　❻ 4, 36

❼ 9, 135 　❽ 8, 88

❾ 4, 52 　❿ 6, 84

⓫ $\frac{1}{18}$ 　⓬ $\frac{1}{18}$ 　⓭ $\frac{1}{20}$

⓮ $\frac{1}{48}$ 　⓯ $\frac{1}{35}$ 　⓰ $\frac{1}{112}$

⓱ $\frac{1}{91}$ 　⓲ $\frac{1}{22}$ 　⓳ $\frac{1}{80}$

⓴ $\frac{1}{96}$ 　㉑ $\frac{1}{144}$ 　㉒ $\frac{1}{153}$

㉓ $\frac{1}{45}$ 　㉔ $\frac{1}{77}$ 　㉕ $\frac{1}{81}$

㉖ $\frac{1}{90}$ 　㉗ $\frac{1}{126}$ 　㉘ $\frac{1}{252}$

㉙ $\frac{1}{121}$ 　㉚ $\frac{1}{210}$ 　㉛ $\frac{1}{600}$

5 일차 플러스 계산 연습 64~65쪽

1 $\frac{1}{56}$ 　2 $\frac{1}{45}$ 　3 $\frac{1}{30}$

4 $\frac{1}{48}$ 　5 $\frac{1}{30}$ 　6 $\frac{1}{63}$

7 $\frac{1}{65}$ 　8 $\frac{1}{207}$ 　9 $\frac{1}{165}$

10 $\frac{1}{308}$ 　11 $\frac{1}{1200}$ 　12 $\frac{1}{350}$

13 $\frac{1}{35}$ 　14 $\frac{1}{112}$

15 $\frac{1}{225}$ 　16 $\frac{1}{143}$

17 $\frac{1}{399}$ 　18 $\frac{1}{255}$

19 $\frac{1}{32}$ 　20 $\frac{1}{112}$

21 $\frac{1}{153}$ 　22 $\frac{1}{48}$

23 $\frac{1}{16}$ 　24 $\frac{1}{4}$, $\frac{1}{20}$

25 $\frac{1}{30}$ 　26 $\frac{1}{9}$, $\frac{1}{36}$

정답과 해설

6 일차 기초 계산 연습 66~67쪽

❶ 4, 5, $\dfrac{4}{35}$ ❷ 7, 4, $\dfrac{7}{36}$

❸ 5, 3, $\dfrac{5}{18}$ ❹ 9, 2, $\dfrac{9}{20}$

❺ 7, 2, $\dfrac{7}{16}$ ❻ 4, 13, $\dfrac{4}{65}$

❼ 2, 20   ❽ 2, 14

❾ 1, 3, $\dfrac{1}{18}$ ❿ 3, 1, $\dfrac{3}{14}$

⓫ $\dfrac{4}{35}$ ⓬ $\dfrac{3}{80}$ ⓭ $\dfrac{8}{33}$

⓮ $\dfrac{5}{63}$ ⓯ $\dfrac{4}{45}$ ⓰ $\dfrac{7}{48}$

⓱ $\dfrac{1}{32}$ ⓲ $\dfrac{1}{39}$ ⓳ $\dfrac{1}{45}$

⓴ $\dfrac{3}{68}$ ㉑ $\dfrac{2}{21}$ ㉒ $\dfrac{4}{63}$

㉓ $\dfrac{2}{77}$ ㉔ $\dfrac{1}{72}$ ㉕ $\dfrac{1}{32}$

㉖ $\dfrac{1}{18}$ ㉗ $\dfrac{2}{21}$ ㉘ $\dfrac{1}{30}$

㉙ $\dfrac{2}{75}$ ㉚ $\dfrac{3}{16}$ ㉛ $\dfrac{1}{40}$

6 일차 플러스 계산 연습 68~69쪽

1 $\dfrac{3}{16}$ **2** $\dfrac{7}{90}$ **3** $\dfrac{1}{22}$

4 $\dfrac{3}{25}$ **5** $\dfrac{1}{38}$ **6** $\dfrac{1}{34}$

7 $\dfrac{1}{20}$ **8** $\dfrac{2}{39}$ **9** $\dfrac{3}{85}$

10 $\dfrac{3}{70}$ **11** $\dfrac{1}{19}$

12 $\dfrac{1}{34}$ **13** $\dfrac{1}{63}$

14 $\dfrac{1}{48}$ **15** $\dfrac{1}{46}$

16 $\dfrac{2}{65}$ **17** $\dfrac{3}{98}$

18 $\dfrac{2}{11}$ **19** $\dfrac{2}{9}$

20 $\dfrac{5}{42}$ **21** $\dfrac{1}{7}$, $\dfrac{1}{8}$

22 $\dfrac{7}{50}$ **23** $\dfrac{1}{3}$, $\dfrac{3}{11}$

20 $\dfrac{5}{7} \times \dfrac{1}{6} = \dfrac{5}{42}$ (kg)

21 $\dfrac{\overset{1}{7}}{8} \times \dfrac{1}{\underset{1}{7}} = \dfrac{1}{8}$ (kg)

22 $\dfrac{7}{10} \times \dfrac{1}{5} = \dfrac{7}{50}$ (L)

23 $\dfrac{\overset{3}{9}}{11} \times \dfrac{1}{\underset{1}{3}} = \dfrac{3}{11}$ (L)

7 일차 기초 계산 연습 70~71쪽

❶ 2, 3, $\dfrac{4}{15}$ ❷ 4, 9, $\dfrac{8}{63}$

❸ $\dfrac{4}{15}$ ❹ $\dfrac{15}{52}$

❺ 1, $\dfrac{5}{14}$ ❻ 3, $\dfrac{15}{28}$

❼ 1, $\dfrac{7}{39}$ ❽ 1, $\dfrac{1}{9}$

❾ $\dfrac{8}{15}$ ❿ $\dfrac{20}{63}$ ⓫ $\dfrac{16}{65}$

⓬ $\dfrac{2}{15}$ ⓭ $\dfrac{21}{110}$ ⓮ $\dfrac{2}{9}$

⓯ $\dfrac{13}{33}$ ⓰ $\dfrac{5}{42}$ ⓱ $\dfrac{28}{55}$

⓲ $\dfrac{3}{22}$ ⓳ $\dfrac{3}{7}$ ⓴ $\dfrac{5}{36}$

㉑ $\dfrac{4}{11}$ ㉒ $\dfrac{1}{15}$ ㉓ $\dfrac{12}{23}$

㉔ $\dfrac{2}{9}$ ㉕ $\dfrac{9}{110}$ ㉖ $\dfrac{1}{20}$

㉗ $\dfrac{1}{6}$ ㉘ $\dfrac{5}{6}$ ㉙ $\dfrac{15}{28}$

㉗ $\dfrac{\overset{1}{7}}{\underset{3}{15}} \times \dfrac{\overset{1}{5}}{\underset{2}{14}} = \dfrac{1}{6}$

㉘ $\dfrac{\overset{5}{15}}{\underset{2}{16}} \times \dfrac{\overset{1}{8}}{\underset{3}{9}} = \dfrac{5}{6}$

㉙ $\dfrac{5}{\underset{2}{6}} \times \dfrac{\overset{3}{9}}{14} = \dfrac{15}{28}$

⑦ 일차 플러스 계산 연습 72~73쪽

1 $\dfrac{7}{10}$ **2** $\dfrac{27}{50}$ **3** $\dfrac{7}{100}$

4 $\dfrac{35}{52}$ **5** $\dfrac{11}{36}$ **6** $\dfrac{3}{28}$

7 $\dfrac{11}{26}$ **8** $\dfrac{9}{34}$ **9** $\dfrac{1}{16}$

10 $\dfrac{25}{42}$ **11** $\dfrac{3}{16}$

12 $\dfrac{20}{63}$ **13** $\dfrac{9}{26}$

14 $\dfrac{4}{21}$ **15** $\dfrac{2}{5}$

16 $\dfrac{9}{32}$ **17** $\dfrac{24}{31}$

18 $\dfrac{2}{3}$ **19** $\dfrac{1}{2}$

20 $\dfrac{3}{10}$ **21** $\dfrac{8}{15}$, $\dfrac{8}{21}$

22 $\dfrac{10}{33}$ **23** $\dfrac{3}{4}$, $\dfrac{6}{13}$

---

20 $\dfrac{\overset{1}{4}}{5} \times \dfrac{3}{\underset{2}{8}} = \dfrac{3}{10}$ (m²)

21 $\dfrac{5}{7} \times \dfrac{8}{\underset{3}{15}} = \dfrac{8}{21}$ (m²)

22 $\dfrac{5}{\underset{3}{9}} \times \dfrac{\overset{2}{6}}{11} = \dfrac{10}{33}$ (m²)

23 $\dfrac{\overset{2}{8}}{13} \times \dfrac{3}{\underset{1}{4}} = \dfrac{6}{13}$ (m²)

⑧ 일차 기초 계산 연습 74~75쪽

❶ 5, 5, $1\dfrac{2}{3}$ **❷** 15, 15, $1\dfrac{1}{14}$

❸ 7, $\dfrac{21}{40}$ **❹** 11, $\dfrac{11}{12}$

❺ 11, 11, $1\dfrac{1}{10}$ **❻** 23, $\dfrac{23}{20}$, $1\dfrac{3}{20}$

❼ 11, $\dfrac{11}{16}$ **❽** 23, $\dfrac{46}{55}$

❾ $\dfrac{11}{12}$ **❿** $\dfrac{14}{27}$ **⓫** $1\dfrac{1}{25}$

---

⑫ $\dfrac{13}{33}$ **⑬** $1\dfrac{13}{14}$ **⑭** $1\dfrac{17}{27}$

⑮ $1\dfrac{3}{7}$ **⑯** $1\dfrac{8}{27}$ **⑰** $\dfrac{33}{40}$

⑱ 2 **⑲** 4 **⑳** $1\dfrac{11}{16}$

㉑ $\dfrac{3}{4}$ **㉒** $\dfrac{10}{13}$ **㉓** $\dfrac{12}{35}$

㉔ $1\dfrac{1}{7}$ **㉕** $1\dfrac{1}{9}$ **㉖** $4\dfrac{6}{11}$

㉗ $1\dfrac{3}{4}$ **㉘** $2\dfrac{1}{3}$ **㉙** $\dfrac{12}{13}$

㉗ $2\dfrac{1}{10} \times \dfrac{5}{6} = \dfrac{\overset{7}{21}}{10} \times \dfrac{5}{\underset{2}{6}} = \dfrac{7}{4} = 1\dfrac{3}{4}$

㉘ $3\dfrac{1}{9} \times \dfrac{3}{4} = \dfrac{\overset{7}{28}}{\underset{3}{9}} \times \dfrac{3}{\underset{1}{4}} = \dfrac{7}{3} = 2\dfrac{1}{3}$

㉙ $\dfrac{4}{7} \times 1\dfrac{8}{13} = \dfrac{4}{\underset{1}{7}} \times \dfrac{\overset{3}{21}}{13} = \dfrac{12}{13}$

⑧ 일차 플러스 계산 연습 76~77쪽

1 $3\dfrac{1}{3}$ **2** $1\dfrac{3}{13}$ **3** $\dfrac{3}{7}$

4 $1\dfrac{13}{36}$ **5** $1\dfrac{1}{8}$ **6** $\dfrac{10}{11}$

7 $\dfrac{2}{3}$ **8** $2\dfrac{1}{4}$ **9** $2\dfrac{1}{4}$

10 $\dfrac{2}{3}$ **11** $\dfrac{38}{51}$

12 $1\dfrac{1}{10}$ **13** $\dfrac{20}{21}$

14 $2\dfrac{17}{32}$ **15** $2\dfrac{8}{17}$

16 $\dfrac{5}{11}$ **17** $\dfrac{33}{56}$

18 $4\dfrac{4}{5}$ **19** $11\dfrac{1}{4}$

20 $1\dfrac{9}{10}$ **21** $\dfrac{3}{7}$, $\dfrac{2}{3}$

22 $1\dfrac{1}{2}$ **23** $\dfrac{3}{4}$, $3\dfrac{4}{5}$

20 $2\dfrac{3}{8}\times\dfrac{4}{5}=\dfrac{19}{8}\times\dfrac{4}{5}=\dfrac{19}{10}=1\dfrac{9}{10}$ (L)

21 $1\dfrac{5}{9}\times\dfrac{3}{7}=\dfrac{14}{9}\times\dfrac{3}{7}=\dfrac{2}{3}$ (L)

22 $3\dfrac{9}{14}\times\dfrac{7}{17}=\dfrac{51}{14}\times\dfrac{7}{17}=\dfrac{3}{2}=1\dfrac{1}{2}$ (L)

23 $5\dfrac{1}{15}\times\dfrac{3}{4}=\dfrac{76}{15}\times\dfrac{3}{4}=\dfrac{19}{5}=3\dfrac{4}{5}$ (L)

9 일차 기초 계산 연습 78~79쪽

❶ 3, 7, 21, $2\dfrac{5}{8}$ ❷ 7, 7, 49, $4\dfrac{1}{12}$

❸ 22, 5, 88, $5\dfrac{13}{15}$ ❹ 17, 3, 34, $11\dfrac{1}{3}$

❺ 7, 19, 38, $5\dfrac{3}{7}$ ❻ 9, 7, 35, $3\dfrac{8}{9}$

❼ 2   ❽ $2\dfrac{6}{7}$ ❾ $4\dfrac{5}{16}$

❿ $4\dfrac{1}{4}$ ⓫ $2\dfrac{5}{8}$ ⓬ $1\dfrac{43}{56}$

⓭ 6   ⓮ $8\dfrac{5}{8}$ ⓯ 15

⓰ 3   ⓱ $2\dfrac{14}{15}$ ⓲ 12

⓳ $3\dfrac{5}{24}$ ⓴ $7\dfrac{1}{4}$ ㉑ $11\dfrac{1}{3}$

㉒ $7\dfrac{4}{5}$ ㉓ $5\dfrac{8}{9}$ ㉔ 4

9 일차 플러스 계산 연습 80~81쪽

1 $4\dfrac{1}{8}$ **2** $6\dfrac{3}{5}$ **3** $1\dfrac{9}{40}$

4 $4\dfrac{2}{3}$ **5** $17\dfrac{1}{3}$ **6** 4

7 $15\dfrac{1}{5}$ **8** 9   **9** $7\dfrac{7}{22}$

10 25   **11** $3\dfrac{1}{3}$

12 $12\dfrac{3}{4}$ **13** $5\dfrac{1}{9}$

14 $4\dfrac{6}{13}$ **15** $3\dfrac{17}{27}$

16 $5\dfrac{1}{9}$ **17** $8\dfrac{1}{27}$

18 $4\dfrac{5}{7}$ **19** $7\dfrac{1}{2}$

20 $2\dfrac{4}{9}$ **21** $3\dfrac{1}{6}, 4\dfrac{3}{4}$

22 $7\dfrac{4}{5}$ **23** $2\dfrac{7}{8}, 13\dfrac{1}{7}$

20 $1\dfrac{5}{9}\times1\dfrac{4}{7}=\dfrac{14}{9}\times\dfrac{11}{7}=\dfrac{22}{9}=2\dfrac{4}{9}$ (m²)

21 $1\dfrac{1}{2}\times3\dfrac{1}{6}=\dfrac{3}{2}\times\dfrac{19}{6}=\dfrac{19}{4}=4\dfrac{3}{4}$ (m²)

22 $3\dfrac{1}{4}\times2\dfrac{2}{5}=\dfrac{13}{4}\times\dfrac{12}{5}=\dfrac{39}{5}=7\dfrac{4}{5}$ (m²)

23 $4\dfrac{4}{7}\times2\dfrac{7}{8}=\dfrac{32}{7}\times\dfrac{23}{8}=\dfrac{92}{7}=13\dfrac{1}{7}$ (m²)

10 일차 기초 계산 연습 82~83쪽

❶ $\dfrac{3}{56}$ ❷ $\dfrac{1}{9}$ ❸ $\dfrac{9}{26}$

❹ $\dfrac{1}{10}$ ❺ $\dfrac{2}{25}$ ❻ $\dfrac{1}{50}$

❼ $\dfrac{1}{80}$ ❽ $\dfrac{1}{99}$ ❾ $\dfrac{2}{85}$

❿ $\dfrac{1}{20}$ ⓫ $\dfrac{1}{140}$ ⓬ $\dfrac{4}{45}$

⓭ $\dfrac{1}{14}$ ⓮ $\dfrac{2}{15}$ ⓯ $\dfrac{1}{12}$

⓰ $\dfrac{5}{8}$ ⓱ $\dfrac{17}{64}$ ⓲ $\dfrac{18}{25}$

⓳ $1\dfrac{4}{11}$ ⓴ $2\dfrac{1}{10}$ ㉑ $\dfrac{13}{16}$

㉒ $1\dfrac{2}{3}$ ㉓ $\dfrac{2}{3}$ ㉔ $1\dfrac{1}{3}$

㉕ $\dfrac{7}{10}$ ㉖ $4\dfrac{2}{3}$ ㉗ $\dfrac{2}{5}$

㉘ $2\dfrac{1}{4}$ ㉙ $3\dfrac{5}{7}$ ㉚ $5\dfrac{1}{27}$

㉛ $4\dfrac{1}{2}$ ㉜ $6\dfrac{4}{5}$ ㉝ $5\dfrac{5}{11}$

12

10 일차 플러스 계산 연습 84~85쪽

1 $\dfrac{7}{60}$ **2** $\dfrac{2}{13}$ **3** $\dfrac{21}{64}$

4 $\dfrac{1}{15}$ **5** $\dfrac{45}{49}$ **6** $\dfrac{51}{80}$

7 $\dfrac{11}{16}$ **8** $3\dfrac{3}{5}$ **9** $2\dfrac{11}{14}$

10 $\dfrac{1}{98}$ **11** $\dfrac{1}{180}$

12 $\dfrac{5}{26}$ **13** $\dfrac{10}{19}$

14 $\dfrac{1}{8}$ **15** $1\dfrac{13}{27}$

16 $4\dfrac{23}{52}$ **17** $3\dfrac{15}{17}$

18 $4\dfrac{2}{7}$ **19** $4\dfrac{5}{11}$

20 $2\dfrac{4}{5}$ **21** $1\dfrac{1}{2}$, $7\dfrac{2}{3}$

22 $20\dfrac{1}{2}$ **23** $\dfrac{3}{4}$, $30\dfrac{3}{5}$

---

21 $5\dfrac{1}{9}\times1\dfrac{1}{2}=\dfrac{\overset{23}{\cancel{46}}}{\underset{3}{\cancel{9}}}\times\dfrac{\overset{1}{\cancel{3}}}{\cancel{2}}=\dfrac{23}{3}=7\dfrac{2}{3}$ (m)

23 $40\dfrac{4}{5}\times\dfrac{3}{4}=\dfrac{\overset{51}{\cancel{204}}}{5}\times\dfrac{3}{\underset{1}{\cancel{4}}}=\dfrac{153}{5}=30\dfrac{3}{5}$ (kg)

11 일차 기초 계산 연습 86~87쪽

❶ 3, 60 **❷** 2, 5, 80

❸ 4, $\dfrac{3}{40}$ **❹** 2, 4, $\dfrac{3}{32}$

❺ 5, 20, $2\dfrac{6}{7}$ **❻** 10, $\dfrac{20}{3}$, $6\dfrac{2}{3}$

❼ $\dfrac{1}{30}$ **❽** $\dfrac{1}{28}$ **❾** $4\dfrac{1}{2}$

❿ 7 **⓫** $\dfrac{5}{28}$ **⓬** $\dfrac{5}{48}$

⓭ $2\dfrac{1}{3}$ **⓮** $3\dfrac{3}{5}$ **⓯** $36\dfrac{1}{6}$

⓰ 70 **⓱** $\dfrac{1}{42}$ **⓲** $\dfrac{35}{54}$

⓳ $19\dfrac{1}{4}$ **⓴** $43\dfrac{1}{3}$ **㉑** $10\dfrac{3}{20}$

㉒ 92 **㉓** $\dfrac{2}{7}$ **㉔** $2\dfrac{1}{2}$

11 일차 플러스 계산 연습 88~89쪽

1 $\dfrac{3}{28}$ **2** $\dfrac{7}{36}$ **3** $\dfrac{5}{27}$

4 $2\dfrac{4}{5}$ **5** $9\dfrac{3}{16}$ **6** $13\dfrac{1}{2}$

7 $4\dfrac{7}{8}$ **8** $\dfrac{7}{36}$ **9** $\dfrac{9}{16}$

10 $\dfrac{1}{40}$ **11** $\dfrac{7}{30}$

12 5 **13** 40

14 $\dfrac{5}{9}$ **15** $\dfrac{7}{20}$

16 $24\dfrac{4}{9}$ **17** $16\dfrac{4}{5}$

18 $30\dfrac{1}{3}$ **19** $3\dfrac{1}{2}$

20 $71\dfrac{1}{4}$ **21** $27\dfrac{1}{2}$

22 $72\dfrac{3}{5}$ **23** $73\dfrac{1}{2}$

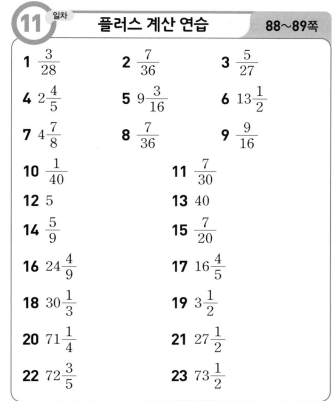

18 $1\dfrac{1}{13}\times3\dfrac{1}{4}\times8\dfrac{2}{3}=\dfrac{14}{13}\times\dfrac{\overset{\cancel{}}{13}}{\underset{1}{\cancel{4}}}\times\dfrac{\overset{13}{\cancel{26}}}{3}$

$=\dfrac{91}{3}=30\dfrac{1}{3}$

19 $4\dfrac{1}{12}\times\dfrac{2}{3}\times1\dfrac{2}{7}=\dfrac{\overset{7}{\cancel{49}}}{\underset{\underset{2}{4}}{\cancel{12}}}\times\dfrac{2}{3}\times\dfrac{\overset{3}{\cancel{9}}}{\cancel{7}}=\dfrac{7}{2}=3\dfrac{1}{2}$

20 $4\dfrac{3}{4}\times2\dfrac{1}{7}\times7=\dfrac{19}{4}\times\dfrac{15}{\underset{1}{\cancel{7}}}\times\cancel{7}=\dfrac{285}{4}$

$=71\dfrac{1}{4}$ (cm²)

21 $2\dfrac{1}{5}\times3\dfrac{1}{8}\times4=\dfrac{11}{\underset{1}{\cancel{5}}}\times\dfrac{\overset{5}{\cancel{25}}}{\underset{2}{\cancel{8}}}\times\cancel{4}=\dfrac{55}{2}$

$=27\dfrac{1}{2}$ (cm²)

22 $2\dfrac{1}{5}\times2\dfrac{1}{5}\times15=\dfrac{11}{\underset{1}{\cancel{5}}}\times\dfrac{11}{\cancel{5}}\times\overset{3}{\cancel{15}}=\dfrac{363}{5}$

$=72\dfrac{3}{5}$ (cm²)

23 $3\dfrac{1}{2}\times3\dfrac{1}{2}\times6=\dfrac{7}{2}\times\dfrac{7}{\underset{1}{\cancel{2}}}\times\overset{3}{\cancel{6}}=\dfrac{147}{2}=73\dfrac{1}{2}$ (cm²)

정답과 해설

평가 **SPEED 연산력 TEST** **90~91쪽**

① $\dfrac{3}{5}$ ② $10\dfrac{1}{2}$ ③ $22\dfrac{1}{2}$

④ $46\dfrac{2}{3}$ ⑤ $8\dfrac{1}{4}$ ⑥ $20\dfrac{1}{4}$

⑦ 34 ⑧ $13\dfrac{5}{13}$ ⑨ $\dfrac{1}{135}$

⑩ $\dfrac{1}{136}$ ⑪ $\dfrac{2}{45}$ ⑫ $\dfrac{1}{48}$

⑬ $\dfrac{1}{6}$ ⑭ $\dfrac{3}{10}$ ⑮ $1\dfrac{2}{7}$

⑯ $\dfrac{22}{23}$ ⑰ $7\dfrac{7}{18}$ ⑱ $12\dfrac{1}{11}$

⑲ $6\dfrac{2}{5}$ ⑳ $4\dfrac{2}{3}$

㉑ $\dfrac{19}{33}$ ㉒ $\dfrac{14}{17}$

㉓ $13\dfrac{5}{7}$ ㉔ $9\dfrac{3}{8}$

㉕ $4\dfrac{1}{2}$ ㉖ $7\dfrac{1}{2}$

㉗ $\dfrac{5}{18}$ ㉘ 20

특강 **문장제 문제 도전하기** **92~95쪽**

1 $12\dfrac{3}{5}$; 12, $12\dfrac{3}{5}$, $12\dfrac{3}{5}$

2 35 ; $\dfrac{7}{9}$, 35, 35

3 $\dfrac{12}{17}$; $\dfrac{4}{5}$, $\dfrac{12}{17}$, $\dfrac{12}{17}$ **4** 14, $15\dfrac{1}{13}$

5 $1\dfrac{1}{7}$, 48 **6** $\dfrac{6}{7}$, $\dfrac{4}{7}$

7 27 ; 24, 27, 27

8 $6\dfrac{9}{11}$; $2\dfrac{1}{12}$, $6\dfrac{9}{11}$, $6\dfrac{9}{11}$

9 $1\dfrac{7}{20}$; $1\dfrac{1}{2}$, $1\dfrac{7}{20}$, $1\dfrac{7}{20}$

10 10, $12\dfrac{2}{3}$ **11** $2\dfrac{3}{7}$, $11\dfrac{1}{3}$

12 $1\dfrac{1}{5}$, $4\dfrac{2}{15}$

5 $42 \times 1\dfrac{1}{7} = \overset{6}{42} \times \dfrac{8}{\underset{1}{7}} = 48 \ (\text{kg})$

6 $\dfrac{\overset{2}{14}}{\underset{7}{21}} \times \dfrac{\overset{2}{6}}{\underset{1}{7}} = \dfrac{4}{7} \ (\text{m})$

---

10 $1\dfrac{4}{15} \times 10 = \dfrac{19}{\underset{3}{15}} \times \overset{2}{10} = \dfrac{38}{3} = 12\dfrac{2}{3} \ (\text{L})$

11 $4\dfrac{2}{3} \times 2\dfrac{3}{7} = \dfrac{14}{3} \times \dfrac{17}{\underset{1}{7}} = \dfrac{34}{3} = 11\dfrac{1}{3} \ (\text{m}^2)$

12 $3\dfrac{4}{9} \times 1\dfrac{1}{5} = \dfrac{31}{\underset{3}{9}} \times \dfrac{\overset{2}{6}}{5} = \dfrac{62}{15} = 4\dfrac{2}{15} \ (\text{L})$

특강 **창의·융합·코딩·도전하기** **96~97쪽**

창의1 1, 3, 4, 2

창의2 $\dfrac{1}{\boxed{2}} \times \dfrac{1}{\boxed{3}}$ 또는 $\dfrac{1}{\boxed{3}} \times \dfrac{1}{\boxed{2}}$; $\dfrac{1}{6}$

융합3 (1) 123 (2) $85\dfrac{1}{2}$

창의1 ① $\dfrac{\overset{1}{3}}{\underset{2}{14}} \times \dfrac{\overset{1}{7}}{\underset{3}{9}} = \dfrac{1}{6} \to 1$

② $1\dfrac{4}{5} \times 12 = \dfrac{9}{5} \times 12 = \dfrac{108}{5} = 21\dfrac{3}{5} \to 3$

③ $1\dfrac{2}{3} \times 2\dfrac{1}{7} = \dfrac{5}{3} \times \dfrac{\overset{5}{15}}{\underset{1}{7}} = \dfrac{25}{7} = 3\dfrac{4}{7} \to 4$

④ $15 \times 1\dfrac{1}{9} = 15 \times \dfrac{\overset{5}{10}}{\underset{3}{9}} = \dfrac{50}{3} = 16\dfrac{2}{3} \to 2$

창의2 분모에 작은 수가 들어갈수록 계산 결과가 커집니다.
따라서 2장의 수 카드를 사용하여 계산 결과가 가장 큰 식을 만들려면 수 카드 2와 3을 사용해야 합니다.

융합3 (1) $8\dfrac{1}{5} \times 15 = \dfrac{41}{\underset{1}{5}} \times \overset{3}{15} = 123 \ (\text{kcal})$

(2) $9\dfrac{1}{2} \times 9 = \dfrac{19}{2} \times 9 = \dfrac{171}{2} = 85\dfrac{1}{2} \ (\text{kcal})$

✳ 개념 ○✕ 퀴즈 정답

◎   ✕

3 소수의 곱셈

✳ 개념 ○✕ 퀴즈

옳으면 ○에, 틀리면 ✕에 ○표 하세요.

$$9 \times 0.3 = 0.27$$

○   ✕

정답은 24쪽에서 확인하세요.

---

1 일차   기초 계산 연습   *100~101쪽*

❶ 1.8   ❷ 3.5   ❸ 4.2
❹ 3.2   ❺ 7.2   ❻ 1.2
❼ 13.2   ❽ 10.6   ❾ 37.2
❿ 4.8   ⓫ 12.5   ⓬ 22.4
⓭ 0.36   ⓮ 0.68   ⓯ 0.28
⓰ 1.28   ⓱ 0.35   ⓲ 1.52
⓳ 1.15   ⓴ 3.12   ㉑ 3.65

㉒
```
        2 3
  ×  0 . 1 2
        4 6
    2 3
    2 . 7 6
```

㉓
```
        1 3
  ×  0 . 3 6
        7 8
      3 9
      4 . 6 8
```

㉔
```
        4 1
  ×  0 . 7 5
      2 0 5
    2 8 7
    3 0 . 7 5
```

㉕
```
        3 7
  ×  0 . 4 2
        7 4
    1 4 8
    1 5 . 5 4
```

㉖
```
        1 6
  ×  0 . 3 7
      1 1 2
    4 8
    5 . 9 2
```

㉗
```
        5 4
  ×  0 . 5 3
      1 6 2
    2 7 0
    2 8 . 6 2
```

---

1 일차   플러스 계산 연습   *102~103쪽*

1 2.5   **2** 3.6   **3** 5.4
4 11.9   **5** 20.8   **6** 25.6
7 0.62   **8** 2.52   **9** 1.61
10 3.12   **11** 7.36   **12** 13.25
13 4.5   **14** 5.92
15 9.8   **16** 2.88
17 21.6   **18** 10.75
19 4.2   **20** 3.2
21 13.5   **22** 9.1
23 3.6   **24** 7
25 0.6, 144   **26** 2, 1.46
27 0.9, 2.7   **28** 500, 245

6
```
      3 2
  ×  0 . 8
    2 5 . 6
```

7
```
        2
  ×  0 . 3 1
      0 . 6 2
```

8
```
      4
  ×  0 . 6 3
    2 . 5 2
```

9
```
        7
  ×  0 . 2 3
      1 . 6 1
```

10
```
      2 6
  ×  0 . 1 2
        5 2
      2 6
      3 . 1 2
```

11
```
      3 2
  ×  0 . 2 3
        9 6
      6 4
      7 . 3 6
```

12
```
      5 3
  ×  0 . 2 5
      2 6 5
    1 0 6
    1 3 . 2 5
```

18
```
      4 3
  ×  0 . 2 5
      2 1 5
    8 6
    1 0 . 7 5
```

23 (높이)=6×0.6=3.6 (m)

24 (높이)=14×0.5=7 (m)

25 (사용한 색 테이프의 길이)=240×0.6
                        =144 (cm)

26 (사용한 리본 테이프의 길이)=2×0.73
                           =1.46 (m)

27 (마신 우유의 양)=3×0.9=2.7 (L)

28 (사용한 간장의 양)=500×0.49=245 (mL)

정답과 해설

15

2 일차 기초 계산 연습 104~105쪽

① 2.6 ② 9.6 ③ 8.4
④ 7.2 ⑤ 12.3 ⑥ 27.5

⑦
```
      2 3
×   1.1
      2 3
    2 3
    2 5.3
```

⑧
```
      1 6
×   1.4
      6 4
    1 6
    2 2.4
```

⑨
```
        1 2
×    3.4
        4 8
      3 6
      4 0.8
```

⑩
```
        3 6
×    4.3
    1 0 8
  1 4 4
  1 5 4.8
```

⑪
```
        1 7
×    8.6
    1 0 2
  1 3 6
  1 4 6.2
```

⑫
```
        4 1
×    2.8
    3 2 8
    8 2
  1 1 4.8
```

⑬ 6.96
⑭ 6.35
⑮ 8.26
⑯ 8.58
⑰ 7.68
⑱ 11.97
⑲ 9.28
⑳ 14.28
㉑ 19.08

㉒
```
        1 5
×    1.2 1
        1 5
      3 0
    1 5
    1 8.1 5
```

㉓
```
          3 1
×      2.1 4
      1 2 4
      3 1
    6 2
    6 6.3 4
```

㉔
```
        2 7
×    3.2 3
        8 1
      5 4
    8 1
    8 7.2 1
```

㉕
```
          2 1
×      2.4 8
      1 6 8
      8 4
    4 2
    5 2.0 8
```

㉖
```
        5 1
×    1.2 8
      4 0 8
    1 0 2
    5 1
    6 5.2 8
```

㉗
```
          1 2
×      1.6 3
        3 6
      7 2
    1 2
    1 9.5 6
```

2 일차 플러스 계산 연습 106~107쪽

1 4.5	**2** 11.2	**3** 14.4
4 39.1	**5** 47.5	**6** 137.6
7 9.48	**8** 11.48	**9** 28.98
10 21.12	**11** 74.52	**12** 95.34
13 9.6	**14** 12.6	**15** 12.15
16 84.5	**17** 50.4	**18** 40.5
19 29.37	**20** 65.94	**21** 21.12

22 1.6, 3.2 **23** 1.14, 3.42
24 5, 1.2, 6 **25** 6, 1.09, 6.54
26 2.9, 14.5 **27** 13, 32.24
28 2.4, 16.8 **29** 6, 7.56

9
```
            9
×    3.2 2
    2 8.9 8
```

10
```
        1 6
×    1.3 2
        3 2
      4 8
    1 6
    2 1.1 2
```

11
```
        2 3
×    3.2 4
        9 2
      4 6
    6 9
    7 4.5 2
```

12
```
          4 2
×      2.2 7
      2 9 4
      8 4
    8 4
    9 5.3 4
```

18
```
        1 5
×     2.7
    1 0 5
    3 0
    4 0.5
```

19
```
        1 1
×    2.6 7
        7 7
      6 6
    2 2
    2 9.3 7
```

20
```
        2 1
×    3.1 4
        8 4
      2 1
    6 3
    6 5.9 4
```

21
```
        1 6
×    1.3 2
        3 2
      4 8
    1 6
    2 1.1 2
```

23 3 km의 1.14배 ➡ 3×1.14=3.42 (km)

25 6 km의 1.09배 ➡ 6×1.09=6.54 (km)

27 13의 2.48배 ➡ 13×2.48=32.24

28 (철근 2.4 m의 무게)=7×2.4=16.8 (kg)

29 (강아지의 무게)=6×1.26=7.56 (kg)

3 일차 기초 계산 연습 108~109쪽

❶ 2.8　　❷ 1.5　　❸ 1.6
❹ 4.2　　❺ 4.5　　❻ 1.2
❼ 14.5　　❽ 8.4　　❾ 5.4
❿ 9.8　　⓫ 18.5　　⓬ 3.9
⓭ 1.38　　⓮ 1.66　　⓯ 2.25
⓰ 1.26　　⓱ 3.68　　⓲ 0.78
⓳ 1.68　　⓴ 0.68　　㉑ 2.96
㉒ 2.38　　㉓ 2.79　　㉔ 1.52

㉕
```
      0 . 2   7
  ×         1   2
            5   4
      2   7
      3 . 2   4
```

㉖
```
      0 . 4   2
  ×         1   3
      1   2   6
      4   2
      5 . 4   6
```

㉗
```
      0 . 2   9
  ×         2   4
      1   1   6
      5   8
      6 . 9   6
```

㉘
```
      0 . 3   5
  ×         1   7
      2   4   5
      3   5
      5 . 9   5
```

㉙
```
      0 . 6   2
  ×         4   8
      4   9   6
      2   4   8
      2   9 . 7   6
```

㉚
```
      0 . 2   8
  ×         1   6
      1   6   8
      2   8
      4 . 4   8
```

10
```
      0 . 8   3
  ×         1   3
      2   4   9
      8   3
      1   0 . 7   9
```

11
```
      0 . 5   1
  ×         4   9
      4   5   9
      2   0   4
      2   4 . 9   9
```

12
```
      0 . 4   7
  ×         2   6
      2   8   2
      9   4
      1   2 . 2   2
```

16
```
      0 . 6
  ×     1   3
      7 . 8
```

17
```
      0 . 3   3
  ×           2
      0 . 6   6
```

18
```
      0 . 5   3
  ×         1   7
      3   7   1
      5   3
      9 . 0   1
```

20 (토끼 인형 4개의 무게)=0.18×4=0.72 (kg)

22 (쿠키 7개의 무게)=0.14×7=0.98 (kg)

24 0.29를 4번 더한 것 ➡ 0.29×4=1.16

26 0.12의 6배 ➡ 0.12×6=0.72

27 (미리가 7일 동안 마신 우유의 양)
=0.6×7=4.2 (L)

28 (선우가 5일 동안 먹은 초콜릿의 양)
=0.45×5=2.25 (kg)

3 일차 플러스 계산 연습 110~111쪽

1 2.8　　**2** 3.6　　**3** 2.1
4 5.6　　**5** 29.7　　**6** 11.2
7 0.64　　**8** 1.26　　**9** 2.16
10 10.79　　**11** 24.99　　**12** 12.22
13 3.2　　　　**14** 3.6
15 3.5　　　　**16** 7.8
17 0.66　　　　**18** 9.01
19 0.5, 2.5　　　**20** 4, 0.72
21 0.3, 6, 1.8　　**22** 0.14, 7, 0.98
23 6, 4.8　　　　**24** 0.29, 1.16
25 8, 7.2　　　　**26** 0.12, 0.72
27 0.6, 7, 4.2　　**28** 0.45, 5, 2.25

4 일차 기초 계산 연습 112~113쪽

❶ 4.8　　❷ 6.9　　❸ 6.4
❹ 7.2　　❺ 8.2　　❻ 7.2
❼ 37.1　　❽ 16.8　　❾ 28.5

❿
```
      6 . 4
  ×     1   4
      2   5   6
      6   4
      8   9 . 6
```

⓫
```
      8 . 3
  ×     4   3
      2   4   9
      3   3   2
      3   5   6 . 9
```

⓬
```
      7 . 2
  ×     3   8
      5   7   6
      2   1   6
      2   7   3 . 6
```

⓭
```
      3 . 6
  ×     2   3
      1   0   8
      7   2
      8   2 . 8
```

⑭
			4	.	3
×			1		1
			4		3
		4	3		
		4	7	.	3

⑮
			2	.	3
×			1		2
			4		6
		2	3		
		2	7	.	6

⑯ 6.69　　⑰ 4.96　　⑱ 24.15

⑲ 38.15　　⑳ 29.25　　㉑ 18.52

㉒
		4	.	5	3
×				1	4
	1	8	1	2	
	4	5	3		
	6	3	.	4	2

㉓
		1	.	2	5
×				1	5
		6	2	5	
	1	2	5		
	1	8	.	7	5

㉔
		5	.	2	9
×				1	3
	1	5	8	7	
	5	2	9		
	6	8	.	7	7

㉕
		4	.	3	8
×				1	8
	3	5	0	4	
	4	3	8		
	7	8	.	8	4

㉖
		3	.	6	2
×				2	7
	2	5	3	4	
	7	2	4		
	9	7	.	7	4

㉗
		6	.	0	2
×				1	6
	3	6	1	2	
	6	0	2		
	9	6	.	3	2

5
		6	.	5
×			2	3
	1	9	5	
1	3	0		
1	4	9	.	5

6
		4	.	5
×			2	9
	4	0	5	
	9	0		
1	3	0	.	5

7
		2	.	1	2
×					3
		6	.	3	6

8
		5	.	4	2
×					6
	3	2	.	5	2

9
		3	.	8	7
×					5
	1	9	.	3	5

10
		3	.	2	6
×				2	4
	1	3	0	4	
	6	5	2		
	7	8	.	2	4

11
		4	.	5	3
×				1	8
	3	6	2	4	
	4	5	3		
	8	1	.	5	4

12
		6	.	4	5
×				2	3
	1	9	3	5	
	1	2	9	0	
1	4	8	.	3	5

17
		2	.	8	4
×					7
	1	9	.	8	8

18
		3	.	1	2
×				1	3
		9	3	6	
	3	1	2		
	4	0	.	5	6

19 5.7×6=34.2, 1.9×16=30.4

20 1.27×5=6.35, 4.36×9=39.24

21 7.2×7=50.4, 1.07×12=12.84

22 2.84×4=11.36, 6.58×14=92.12

---

④ 일차 플러스 계산 연습 114~115쪽

1 6.8　　**2** 7.8　　**3** 6.8

4 81.2　　**5** 149.5　　**6** 130.5

7 6.36　　**8** 32.52　　**9** 19.35

10 78.24　　**11** 81.54　　**12** 148.35

13 6.8　　　　**14** 29.5

15 47.3　　　　**16** 19.32

17 19.88　　　 **18** 40.56

19 34.2, 30.4　　**20** 6.35, 39.24

21 50.4, 12.84　**22** 11.36, 92.12

23 114　　　　　**24** 9.5, 45, 427.5

25 6, 50.4　　　 **26** 4.57, 22.85

평가 SPEED 연산력 TEST 116~117쪽

❶ 5.6　　❷ 8.5　　❸ 19.5

❹ 3.69　　❺ 13.8　　❻ 140.4

❼ 24.32　❽ 115.92　❾ 2.7

❿ 7.2　　⓫ 8.8　　⓬ 11.7

⓭ 1.68　　⓮ 3.15　　⓯ 5.46

⓰ 37.1　　⓱ 82.8　　⓲ 73.2

⓳ 9.92　　⓴ 8.52　　㉑ 20.04

㉒ 2.16　　　　㉓ 5.2

㉔ 3.12　　　　㉕ 22.4

㉖ 38.4　　　　㉗ 62.52

㉘ 1.2　　　　 ㉙ 16.8

㉚ 3.15　　　　㉛ 18.3

㉜ 21.5　　　　㉝ 125.4

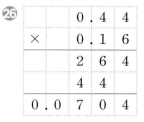

⑤ 일차 기초 계산 연습 118~119쪽

❶ 0.27　　❷ 0.04
❸ 0.05　　❹ 0.32
❺ 0.54　　❻ 0.18
❼ 0.12　　❽ 0.42
❾ 0.08　　❿ 0.56
⑪ 0.45　　⑫ 0.21

⑬
		0 . 2	9
×		0 . 3	5
		1 4	5
		8 7	
0 .	1	0 1	5

⑭
		0 . 5	5
×		0 . 7	1
			5 5
	3	8 5	
0 .	3	9 0	5

⑮
		0 . 4	7
×		0 . 5	6
		2 8	2
	2	3 5	
0 .	2	6 3	2

⑯
		0 . 7	1
×		0 . 2	4
		2 8	4
	1	4 2	
0 .	1	7 0	4

⑰
		0 . 5	3
×		0 . 5	2
		1 0	6
	2	6 5	
0 .	2	7 5	6

⑱
		0 . 3	2
×		0 . 1	7
		2 2	4
		3 2	
0 .	0	5 4	4

⑲
		0 . 3	4
×		0 . 1	9
		3 0	6
		3 4	
0 .	0	6 4	6

⑳
		0 . 7	9
×		0 . 6	3
		2 3	7
	4	7 4	
0 .	4	9 7	7

㉑
		0 . 1	4
×		0 . 2	4
			5 6
		2 8	
0 .	0	3 3	6

㉒
		0 . 2	9
×		0 . 4	1
			2 9
	1	1 6	
0 .	1	1 8	9

㉓
		0 . 8	1
×		0 . 2	6
		4 8	6
	1	6 2	
0 .	2	1 0	6

㉔
		0 . 6	2
×		0 . 2	3
		1 8	6
	1	2 4	
0 .	1	4 2	6

㉕
		0 . 2	6
×		0 . 3	3
			7 8
		7 8	
0 .	0	8 5	8

㉖
		0 . 4	4
×		0 . 1	6
		2 6	4
		4 4	
0 .	0	7 0	4

㉗
		0 . 1	2
×		0 . 4	8
			9 6
		4 8	
0 .	0	5 7	6

⑤ 일차 플러스 계산 연습 120~121쪽

1 0.09　　**2** 0.28　　**3** 0.81
4 0.42　　**5** 0.72　　**6** 0.35
7 0.1075　**8** 0.3772　**9** 0.0576
10 0.195　**11** 0.0405　**12** 0.0646
13 0.32　　　**14** 0.63
15 0.16　　　**16** 0.4416
17 0.0884　　**18** 0.0988
19 0.9, 0.63　　**20** 0.85, 0.2125
21 0.4, 0.9, 0.36　　**22** 0.64, 0.83, 0.5312
23 0.8, 0.72　　**24** 0.32, 0.1536
25 0.4, 0.32　　**26** 0.72, 0.468

17
	0.5 2
×	0.1 7
	3 6 4
	5 2
	0.0 8 8 4

18
	0.3 8
×	0.2 6
	2 2 8
	7 6
	0.0 9 8 8

19 0.7 kg의 0.9배 ➡ $0.7 \times 0.9 = 0.63$ (kg)

20 0.85 kg의 0.25배 ➡ $0.85 \times 0.25 = 0.2125$ (kg)

21 0.4 kg의 0.9배 ➡ $0.4 \times 0.9 = 0.36$ (kg)

22 0.64 kg의 0.83배 ➡ $0.64 \times 0.83 = 0.5312$ (kg)

25 (직사각형의 넓이)=(가로)×(세로)
$= 0.8 \times 0.4 = 0.32 \ (m^2)$

26 (평행사변형의 넓이)=(밑변의 길이)×(높이)
$= 0.72 \times 0.65 = 0.468 \ (m^2)$

6 일차 — 기초 계산 연습 122~123쪽

❶ 0.114	❷ 0.085	❸ 0.336
❹ 0.207	❺ 0.144	❻ 0.504
❼ 0.063	❽ 0.098	❾ 0.128
❿ 0.175	⓫ 0.252	⓬ 0.301
⓭ 0.112	⓮ 0.185	⓯ 0.576
⓰ 0.192	⓱ 0.217	⓲ 0.468
⓳ 0.045	⓴ 0.243	㉑ 0.416
㉒ 0.095	㉓ 0.028	㉔ 0.114
㉕ 0.372	㉖ 0.192	㉗ 0.497
㉘ 0.104	㉙ 0.602	㉚ 0.324

6 일차 — 플러스 계산 연습 124~125쪽

1 0.032	**2** 0.144	**3** 0.294
4 0.576	**5** 0.336	**6** 0.126
7 0.078	**8** 0.155	**9** 0.448
10 0.153	**11** 0.415	
12 0.147	**13** 0.312	
14 0.567	**15** 0.342	
16 0.368, 0.048	**17** 0.135, 0.324	
18 0.126, 0.434	**19** 0.168, 0.174	
20 0.052, 0.434	**21** 0.192, 0.189	
22 0.3, 0.066	**23** 0.6, 0.468	
24 0.8, 0.784	**25** 0.9, 0.684	

14
$$\begin{array}{r} 0.6\,3 \\ \times\ \ 0.9 \\ \hline 0.5\,6\,7 \end{array}$$

15
$$\begin{array}{r} 0.5\,7 \\ \times\ \ 0.6 \\ \hline 0.3\,4\,2 \end{array}$$

16 $0.8 \times 0.46 = 0.368$, $0.4 \times 0.12 = 0.048$

17 $0.27 \times 0.5 = 0.135$, $0.36 \times 0.9 = 0.324$

20 $0.4 \times 0.13 = 0.052$, $0.62 \times 0.7 = 0.434$

22 (평행사변형의 넓이)=(밑변의 길이)×(높이)
$= 0.22 \times 0.3 = 0.066 \ (\text{m}^2)$

25 (필요한 휘발유의 양)
=(1 km를 달리는 데 필요한 휘발유의 양)×(거리)
$= 0.9 \times 0.76 = 0.684 \ (\text{L})$

7 일차 — 기초 계산 연습 126~127쪽

❶
$$\begin{array}{r} 2.6 \\ \times\ 1.2 \\ \hline 5\,2 \\ 2\,6 \\ \hline 3.1\,2 \end{array}$$

❷
$$\begin{array}{r} 3.1 \\ \times\ 2.4 \\ \hline 1\,2\,4 \\ 6\,2 \\ \hline 7.4\,4 \end{array}$$

❸
$$\begin{array}{r} 4.2 \\ \times\ 1.7 \\ \hline 2\,9\,4 \\ 4\,2 \\ \hline 7.1\,4 \end{array}$$

❹
$$\begin{array}{r} 7.5 \\ \times\ 2.3 \\ \hline 2\,2\,5 \\ 1\,5\,0 \\ \hline 1\,7.2\,5 \end{array}$$

❺
$$\begin{array}{r} 4.3 \\ \times\ 6.2 \\ \hline 8\,6 \\ 2\,5\,8 \\ \hline 2\,6.6\,6 \end{array}$$

❻
$$\begin{array}{r} 5.9 \\ \times\ 3.7 \\ \hline 4\,1\,3 \\ 1\,7\,7 \\ \hline 2\,1.8\,3 \end{array}$$

❼
$$\begin{array}{r} 6.4 \\ \times\ 2.4 \\ \hline 2\,5\,6 \\ 1\,2\,8 \\ \hline 1\,5.3\,6 \end{array}$$

❽
$$\begin{array}{r} 8.7 \\ \times\ 3.6 \\ \hline 5\,2\,2 \\ 2\,6\,1 \\ \hline 3\,1.3\,2 \end{array}$$

❾
$$\begin{array}{r} 9.6 \\ \times\ 4.8 \\ \hline 7\,6\,8 \\ 3\,8\,4 \\ \hline 4\,6.0\,8 \end{array}$$

❿
$$\begin{array}{r} 2.7 \\ \times\ 1.8 \\ \hline 2\,1\,6 \\ 2\,7 \\ \hline 4.8\,6 \end{array}$$

⓫
$$\begin{array}{r} 3.2 \\ \times\ 2.3 \\ \hline 9\,6 \\ 6\,4 \\ \hline 7.3\,6 \end{array}$$

⓬
$$\begin{array}{r} 7.2 \\ \times\ 5.8 \\ \hline 5\,7\,6 \\ 3\,6\,0 \\ \hline 4\,1.7\,6 \end{array}$$

⓭
$$\begin{array}{r} 4.9 \\ \times\ 1.6 \\ \hline 2\,9\,4 \\ 4\,9 \\ \hline 7.8\,4 \end{array}$$

⓮
$$\begin{array}{r} 1.9 \\ \times\ 8.2 \\ \hline 3\,8 \\ 1\,5\,2 \\ \hline 1\,5.5\,8 \end{array}$$

⑮
```
      5 . 6
×     3 . 4
    2 2 4
  1 6 8
  1 9 . 0 4
```

⑯
```
      9 . 1 4
×     2 . 2 8
    7 3 1 2
  1 8 2 8
1 8 2 8
2 0 . 8 3 9 2
```

⑰
```
      5 . 4 2
×     6 . 7 2
    1 0 8 4
  3 7 9 4
3 2 5 2
3 6 . 4 2 2 4
```

⑱
```
      5 . 9 6
×     4 . 1 5
  2 9 8 0
    5 9 6
2 3 8 4
2 4 . 7 3 4
```

⑲
```
      8 . 5 1
×     1 . 9 4
    3 4 0 4
  7 6 5 9
8 5 1
1 6 . 5 0 9 4
```

⑳
```
      2 . 7 2
×     3 . 5 2
      5 4 4
  1 3 6 0
8 1 6
9 . 5 7 4 4
```

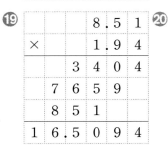

㉑
```
      4 . 9 6
×     1 . 3 7
    3 4 7 2
  1 4 8 8
4 9 6
6 . 7 9 5 2
```

---

7 일차 **플러스 계산 연습** 128~129쪽

1 19.22   2 6.72   3 3.68
4 17.25   5 61.56   6 32.2
7 32.5995   8 3.6456   9 38.5784
10 4.55   11 37.05
12 5.89   13 12.88
14 3.4128   15 3.4036
16 4.14   17 4.25
18 2.9, 5.8, 16.82   19 3.6, 3.2, 11.52
20 2.4, 8.88   21 4.2, 7.98
22 5.7, 3.1, 17.67   23 9.6, 9.6, 92.16

---

8 일차 **기초 계산 연습** 130~131쪽

❶
```
      2 . 2 4
×     3 . 7
  1 5 6 8
6 7 2
8 . 2 8 8
```

❷
```
      8 . 1 4
×     1 . 2
  1 6 2 8
8 1 4
9 . 7 6 8
```

❸
```
      3 . 3 2
×     3 . 5
  1 6 6 0
9 9 6
1 1 . 6 2
```

❹
```
      1 . 6 1
×     2 . 3
    4 8 3
3 2 2
3 . 7 0 3
```

❺
```
      3 . 8 2
×     1 . 4
  1 5 2 8
3 8 2
5 . 3 4 8
```

❻
```
      7 . 0 2
×     4 . 2
  1 4 0 4
2 8 0 8
2 9 . 4 8 4
```

❼
```
      1 . 1 4
×     2 . 3
    3 4 2
2 2 8
2 . 6 2 2
```

❽
```
      2 . 3 6
×     1 . 7
  1 6 5 2
2 3 6
4 . 0 1 2
```

❾
```
      3 . 2 7
×     2 . 5
  1 6 3 5
6 5 4
8 . 1 7 5
```

❿
```
        2 . 9
×     1 . 3 8
    2 3 2
  8 7
2 9
4 . 0 0 2
```

⓫
```
      3 . 2
×   2 . 1 4
    1 2 8
  3 2
6 4
6 . 8 4 8
```

⓬
```
        4 . 6
×     3 . 5 8
    3 6 8
  2 3 0
1 3 8
1 6 . 4 6 8
```

⓭
```
      1 . 9
×   3 . 8 1
      1 9
  1 5 2
5 7
7 . 2 3 9
```

⓮
```
        9 . 3
×     1 . 9 4
    3 7 2
  8 3 7
9 3
1 8 . 0 4 2
```

⑮
```
        1.4
×     6.3 6
        8 4
      4 2
    8 4
    8.9 0 4
```

⑯
```
        2.7
×     2.3 2
        5 4
      8 1
    5 4
    6.2 6 4
```

⑰
```
        3.6
×     4.2 2
        7 2
      7 2
    1 4 4
    1 5.1 9 2
```

⑱
```
        4.2
×     8.3 2
        8 4
      1 2 6
    3 3 6
    3 4.9 4 4
```

⑲
```
        9.4
×     1.2 6
        5 6 4
      1 8 8
    9 4
    1 1.8 4 4
```

⑳
```
        5.9
×     1.7 9
        5 3 1
      4 1 3
    5 9
    1 0.5 6 1
```

㉑
```
        7.8
×     3.2 6
        4 6 8
      1 5 6
    2 3 4
    2 5.4 2 8
```

6
```
      3.7 3
×       4.5
    1 8 6 5
  1 4 9 2
  1 6.7 8 5
```

7
```
        3.6
×     1.4 2
        7 2
    1 4 4
  3 6
  5.1 1 2
```

8
```
      5.9
×   3.1 2
    1 1 8
    5 9
  1 7 7
  1 8.4 0 8
```

9
```
      2.9
×   2.9 3
      8 7
    2 6 1
  5 8
  8.4 9 7
```

10 3.12×4.5=14.04

11 6.31×1.8=11.358

12 4.15×2.9=12.035

13 5.7×5.02=28.614

14 7.9×3.24=25.596

15 8.6×2.64=22.704

16
```
    1.8 2
×     1.2
    3 6 4
  1 8 2
  2.1 8 4
```

17
```
    1.6 8
×     1.3
    5 0 4
  1 6 8
  2.1 8 4
```

18
```
      3.4
×   1.1 5
    1 7 0
    3 4
  3 4
  3.9 1 0
```

19
```
      2.5
×   1.2 5
    1 2 5
    5 0
  2 5
  3.1 2 5
```

20
```
      9.1
×   4.3 8
    7 2 8
    2 7 3
  3 6 4
  3 9.8 5 8
```

21
```
    6.1 2
×     4.8
  4 8 9 6
  2 4 4 8
  2 9.3 7 6
```

22 (양의 무게)=(원숭이의 무게)×2.7
=3.52×2.7=9.504 (kg)

23 (받은 물의 양)
=(1분 동안 나오는 물의 양)×(받은 시간)
=7.4×6.25=46.25 (L)

---

8 일차 플러스 계산 연습 **132~133쪽**

1 10.73 **2** 5.208 **3** 5.168
4 33.292 **5** 3.936 **6** 16.785
7 5.112 **8** 18.408 **9** 8.497
10 14.04 **11** 11.358
12 12.035 **13** 28.614
14 25.596 **15** 22.704
16 1.2, 2.184 **17** 1.68, 1.3, 2.184
18 1.15, 3.91 **19** 2.5, 1.25, 3.125
20 4.38, 39.858 **21** 6.12, 29.376
22 2.7, 9.504 **23** 7.4, 46.25

⑨ 일차 기초 계산 연습 134~135쪽

① 39, 390 ② 0.83, 0.083
③ 615, 6150 ④ 4.76, 0.476
⑤ 216.3, 2163 ⑥ 371.5, 37.15, 3.715
⑦ 25.97, 259.7, 2597 ⑧ 36.8, 3.68, 0.368
⑨ 4.35, 43.5, 435 ⑩ 73.4, 734, 7340
⑪ 0.7, 0.07, 0.007 ⑫ 32.6, 326, 3260
⑬ 6.5, 0.65, 0.065 ⑭ 232, 23.2, 2.32
⑮ 6.4, 0.64, 0.064 ⑯ 47.2, 4.72, 0.472

⑦ 곱하는 수의 0이 하나씩 늘어날 때마다 곱의 소수점이 오른쪽으로 한 자리씩 옮겨집니다.

⑧ 곱하는 소수의 소수점 아래 자리 수가 하나씩 늘어날 때마다 곱의 소수점이 왼쪽으로 한 자리씩 옮겨집니다.

⑨ 일차 플러스 계산 연습 136~137쪽

1 37.5 **2** 32.07 **3** 62
4 8265 **5** 4.5 **6** 2.06
7 6390 **8** 140.7 **9** 0.1
10 100 **11** 0.01 **12** 10
13 0.1 **14** 100
15 9.6, 96, 960 **16** 10.5, 105, 1050
17 100, 560.8 **18** 4027, 40.27
19 100, 18.2 **20** 152, 15.2
21 0.25, 10, 2.5 **22** 0.76, 10, 7.6

15 (10개의 무게)=0.96×10=9.6 (kg)
(100개의 무게)=0.96×100=96 (kg)
(1000개의 무게)=0.96×1000=960 (kg)

16 (10개의 무게)=1.05×10=10.5 (kg)
(100개의 무게)=1.05×100=105 (kg)
(1000개의 무게)=1.05×1000=1050 (kg)

19 (노란색 끈의 길이)=(파란색 끈의 길이)×100
=0.182×100=18.2 (m)

21 (10일 동안 마신 우유의 양)
=(하루에 마신 우유의 양)×10
=0.25×10=2.5 (L)

⑩ 일차 기초 계산 연습 138~139쪽

① 0.42, 0.042 ② 0.036, 0.036
③ 0.26, 0.0026 ④ 0.054, 0.054
⑤ 0.448, 0.448 ⑥ 1.104, 1.104
⑦ 0.21, 0.021 ⑧ 0.72, 0.072
⑨ 0.64, 0.064 ⑩ 2.25, 0.225
⑪ 8.16, 0.816, 0.0816
⑫ 0.408, 0.0408, 0.00408
⑬ 3.737, 0.3737, 0.03737
⑭ 35.7, 0.357, 0.00357

⑩ 일차 플러스 계산 연습 140~141쪽

1 63, 0.63, 0.063 **2** 32, 0.32, 0.0032
3 84, 0.84, 0.084 **4** 472, 4.72, 0.0472
5 148, 1.48, 0.148 **6** 426, 4.26, 0.0426
7 **8**
9 **10**
11 7.56, 0.756, 0.0756
12 22.75, 2.275, 0.2275
13 26.88, 2.688, 0.2688
14 56.88, 5.688, 0.5688
15 0.051 **16** 7.65
17 0.0957 **18** 3.151

15 1.7×0.03=0.051

16 4.5×1.7=7.65

17 0.29×0.33=0.0957

18 13.7×0.23=3.151

평가 SPEED 연산력 TEST 142~143쪽

① 0.42　　**②** 0.42　　**③** 2.76

④ 52.2　　**⑤** 1.68　　**⑥** 34.88

⑦

		0	.	2	7
×		0	.	1	6
		1	6	2	
	2	7			
0	.	0	4	3	2

⑧

		1	.	1	6
×				2	4
		4	6	4	
	2	3	2		
	2	7	.	8	4

⑨

			0	.	8
×			0	.	7	1
		0	.	5	6	8

⑩

		1	.	2	4
×			1	.	8
		9	9	2	
	1	2	4		
	2	.	2	3	2

⑪

			1	8
×		0	.	2	2
			3	6
		3	6	
	3	.	9	6

⑫

			6	.	7
×				7	.	6
			4	0	2
	4	6	9		
	5	0	.	9	2

⑬

			3	7
×			5	.	2
			7	4
	1	8	5	
	1	9	2	.	4

⑭

			5	2
×		4	.	1	6
		3	1	2
		5	2	
2	0	8		
2	1	6	.	3	2

⑮

		3	.	2	5
×			1	.	1	5
	1	6	2	5	
		3	2	5	
3	2	5			
3	.	7	3	7	5

⑯ 4.5

⑰ 2.94

⑱ 15.68

⑲ 4.32

⑳ 2.38

㉑ 13.65

㉒ 0.108

㉓ 85.28

㉔ 44.16

㉕ 5.49

㉖ 0.0782

㉗ 29.76

특강 문장제 문제 도전하기 144~147쪽

1 72.32 ; 32, 2.26, 72.32

2 45.57 ; 6.2, 7.35, 45.57

3 31.5 ; 1.5, 21, 31.5

4 38, 2.45, 93.1

5 5.6, 4.15, 23.24

6 1.7, 14, 23.8

7 22.8 ; 1.9, 12, 22.8

8 0.546 ; 0.91, 0.6, 0.546

9 2.4 ; 240, 0.01, 2.4

10 4.9, 5, 24.5

11 0.8, 0.93, 0.744

12 1.22, 1000, 1220

3 3주는 21일이므로 $1.5 \times 21 = 31.5$(시간)입니다.

5 (평행사변형의 넓이)＝(밑변의 길이)×(높이)
　　　　　　　　　＝$5.6 \times 4.15 = 23.24$ (m²)

6 2주는 14일이므로 $1.7 \times 14 = 23.8$ (km)입니다.

12 곱하는 수의 0이 하나씩 늘어날 때마다 곱의 소수점이 오른쪽으로 한 자리씩 옮겨집니다.

특강 창의·융합·코딩·도전하기 148~149쪽

창의1 5, 8.5 ; 2.3, 9.2

코딩2 0.15, 0.5, 0.075

코딩2

0.6	⬛	0.5
0.13	0.15	0.14
0.2	🚗	0.4

		0	.	1	5
×			0	.	5
		0	.	0	7	5

※ 개념 ○✕ 퀴즈 정답

 ○　　 ✕

4 평균

※ 개념 ○✕ 퀴즈

옳으면 ○에, 틀리면 ✕에 ○표 하세요.

2, 4, 6, 8의 평균은 5

 ○   ✕

정답은 28쪽에서 확인하세요.

① 일차 기초 계산 연습 152~153쪽

❶ 3, 9   ❷ 3, 10   ❸ 4, 8
❹ 4, 9   ❺ 16   ❻ 7
❼ 16   ❽ 12   ❾ 11
❿ 8   ⓫ 13   ⓬ 18
⓭ 35   ⓮ 24   ⓯ 15
⓰ 20   ⓱ 14   ⓲ 21
⓳ 14   ⓴ 15   ㉑ 34
㉒ 32

⓰ (평균)=(17+19+24+32+8)÷5
    =100÷5=20

⓱ (평균)=(13+7+18+20+12)÷5
    =70÷5=14

⓲ (평균)=(26+20+22+16+21)÷5
    =105÷5=21

⓳ (평균)=(12+8+20+18+12)÷5
    =70÷5=14

⓴ (평균)=(15+16+14+17+13)÷5
    =75÷5=15

㉑ (평균)=(15+39+18+56+42)÷5
    =170÷5=34

㉒ (평균)=(32+46+29+28+25)÷5
    =160÷5=32

① 일차 플러스 계산 연습 154~155쪽

1 13	**2** 19	**3** 15
4 17	**5** 75	**6** 16
7 13	**8** 27	**9** 18
10 11	**11** 10	**12** 11
13 3	**14** 4	**15** 5
16 3	**17** 7, 46	**18** 200, 5, 40
19 2, 50	**20** 40, 54, 2, 47	

8 (평균)=(30+24+28+26)÷4
    =108÷4=27

9 (평균)=(11+9+15+30+25)÷5
    =90÷5=18

10 (평균)=(8+4+15+11+17)÷5
    =55÷5=11

11 (평균)=(3+11+7+14+9+16)÷6
    =60÷6=10

12 (평균)=(8+7+3+12+20+16)÷6
    =66÷6=11

13 (세 사람이 걸은 고리 수의 평균)
    =(2+3+4)÷3=9÷3=3(개)

14 (네 사람이 걸은 고리 수의 평균)
    =(2+3+5+6)÷4=16÷4=4(개)

15 (세 사람이 걸은 고리 수의 평균)
    =(4+6+5)÷3=15÷3=5(개)

16 (네 사람이 걸은 고리 수의 평균)
    =(4+5+1+2)÷4=12÷4=3(개)

17 일주일은 7일입니다.
    (하루 평균 컴퓨터를 사용한 시간)
    =322÷7=46(분)

18 (하루 평균 공부한 시간)
    =200÷5=40(분)

19 (두 색 테이프 길이의 평균)
    =(52+48)÷2=100÷2=50 (cm)

20 (두 사람이 운동한 시간의 평균)
    =(40+54)÷2=94÷2=47(분)

② 일차 기초 계산 연습 156~157쪽

❶ 3, 15	❷ 23, 4, 23	❸ 19
❹ 22	❺ 43	❻ 54
❼ 10	❽ 85	❾ 5
❿ 29	⓫ 6	⓬ 6
⓭ 42	⓮ 50	

⓫ (평균)=(9+4+3+8)÷4=24÷4=6(장)

⓬ (평균)=(12+4+6+2)÷4=24÷4=6(개)

⓭ (평균)=(38+56+40+44+32)÷5
=210÷5=42(상자)

⓮ (평균)=(58+64+55+43+30)÷5
=250÷5=50(명)

② 일차 플러스 계산 연습 158~159쪽

1 9	**2** 128	**3** 31
4 64	**5** 11	**6** 26
7 10	**8** 37	**9** 4
10 17	**11** 550	**12** 200
13 300	**14** 500	**15** 750
16 500	**17** 10, 3, 8	**18** 5, 4, 4

6 (평균)=(25+27+24+28)÷4
=104÷4=26(명)

7 (평균)=(12+8+13+7)÷4
=40÷4=10(자루)

8 (평균)=(46+32+33+37)÷4
=148÷4=37 (kg)

9 (평균)=(5+2+3+6)÷4=16÷4=4(명)

10 (평균)=(18+19+16+15)÷4
=68÷4=17(개)

13 (평균)=(100+200+600)÷3
=900÷3=300(원)

14 (평균)=(400+800+300)÷3
=1500÷3=500(원)

15 (평균)=(700+800)÷2
=1500÷2=750(원)

16 (평균)=(800+500+200)÷3
=1500÷3=500(원)

17 (평균)=(6+8+10)÷3=24÷3=8

18 (평균)=(1+6+4+5)÷4=16÷4=4

③ 일차 기초 계산 연습 160~161쪽

❶ <	❷ <	❸ >
❹ <	❺ >	❻ >
❼ <	❽ <	❾ >
❿ <		

❺ (29+25+20+22)÷4=96÷4=24
＞ (27+28+19+18+23)÷5=115÷5=23

❻ (30+31+41+43+45)÷5=190÷5=38
＞ (43+35+38+32)÷4=148÷4=37

❼ (5학년 학생 수의 평균)=(30+26+28)÷3
=84÷3=28(명)
(6학년 학생 수의 평균)=(29+31+27)÷3
=87÷3=29(명)
➜ 28명＜29명

❽ (재준이의 컴퓨터 사용 시간의 평균)
=(50+40+30)÷3=120÷3=40(분)
(정아의 컴퓨터 사용 시간의 평균)
=(43+60+32)÷3=135÷3=45(분)
➜ 40분＜45분

❾ (진수의 오래 매달리기 기록의 평균)
=(14+16+20+18)÷4
=68÷4=17(초)
(태호의 오래 매달리기 기록의 평균)
=(17+15+13)÷3=45÷3=15(초)
➜ 17초＞15초

❿ (미영이네 모둠의 몸무게의 평균)
=(46+43+37)÷3=126÷3=42 (kg)
(나래네 모둠의 몸무게의 평균)
=(42+40+45+45)÷4=172÷4=43 (kg)
➜ 42 kg＜43 kg

③ 일차 플러스 계산 연습 162~163쪽

1 성준	**2** 민호	**3** 성호
4 3	**5** 2	**6** 2
7 가	**8** 나	**9** 가

10 60, 55 ; 수호
11 2800, 700, 2400, 800 ; 연수

4 (요일별 최고 기온의 평균)
$=(15+14+17+12+10+11+12) \div 7$
$=91 \div 7 = 13 \, (℃)$
➡ 평균보다 기온이 높은 요일:
　월요일, 화요일, 수요일(3일)

5 (합창단원의 나이의 평균)
$=(14+11+13+12+15) \div 5$
$=65 \div 5 = 13(살)$
➡ 평균보다 나이가 많은 단원: 진경, 승준(2명)

8 (가 자동차가 한 시간당 달린 거리의 평균)
$=288 \div 4 = 72 \, (km)$
(나 자동차가 한 시간당 달린 거리의 평균)
$=375 \div 5 = 75 \, (km)$
➡ $72 \, km < 75 \, km$

10 (수호가 하루에 읽은 쪽수의 평균)
$=300 \div 5 = 60(쪽)$
(혜영이가 하루에 읽은 쪽수의 평균)
$=220 \div 4 = 55(쪽)$
➡ $60쪽 > 55쪽$

11 (성우가 하루에 마신 식혜의 양의 평균)
$=2800 \div 4 = 700 \, (mL)$
(연수가 하루에 마신 식혜의 양의 평균)
$=2400 \div 3 = 800 \, (mL)$
➡ $700 \, mL < 800 \, mL$

④ 일차 기초 계산 연습 164~165쪽

❶ 16	❷ 28	❸ 14
❹ 14	❺ 14	❻ 11
❼ 30	❽ 20	❾ 23
❿ 47	⓫ 20	⓬ 19
⓭ 22	⓮ 36	⓯ 10
⓰ 5		

❸ (자료의 값을 모두 더한 수)$=12 \times 3 = 36$
➡ ■$=36-(13+9)=14$

❺ (자료의 값을 모두 더한 수)$=15 \times 3 = 45$
➡ ■$=45-(17+14)=14$

⓫ (자료의 값을 모두 더한 수)$=26 \times 4 = 104$
➡ ■$=104-(32+24+28)=20$

⓬ (자료의 값을 모두 더한 수)$=22 \times 4 = 88$
➡ ■$=88-(23+30+16)=19$

⓮ (자료의 값을 모두 더한 수)$=32 \times 5 = 160$
➡ ■$=160-(27+40+35+22)=36$

④ 일차 플러스 계산 연습 166~167쪽

1 11	**2** 33	**3** 19
4 19	**5** 11	**6** 6
7 11	**8** 20	**9** 3
10 14	**11** 21	**12** 23
13 16	**14** 27	

15 3, 51, 51, 18 ; 18　　**16** 12, 48, 48, 9 ; 9

3 (자료의 값을 모두 더한 수)$=16 \times 4 = 64$
➡ ★$=64-(15+13+17)=19$

4 (자료의 값을 모두 더한 수)$=19 \times 4 = 76$
➡ ★$=76-(14+15+28)=19$

9 (자료의 값을 모두 더한 수)$=11 \times 6 = 66$
➡ □$=66-(12+8+16+7+20)=3$

10 (자료의 값을 모두 더한 수)$=10 \times 6 = 60$
➡ □$=60-(11+3+16+9+7)=14$

13 전체 기록의 합이 $20 \times 3 = 60(번)$과 같거나 커야 합니다.
➡ $23+21+$□$=60$일 때, □$=16$이므로 마지막에 적어도 16번 넘어야 합니다.

14 전체 기록의 합이 $20 \times 3 = 60(번)$과 같거나 커야 합니다.
➡ $15+18+$□$=60$일 때, □$=27$이므로 마지막에 적어도 27번 넘어야 합니다.

5일차 기초 계산 연습 168~169쪽

❶ 21 ❷ 13 ❸ 31
❹ 88 ❺ 94 ❻ 153
❼ 25 ❽ 27 ❾ 9
❿ 5 ⓫ 41 ⓬ 37
⓭ 42 ⓮ 19 ⓯ 48
⓰ 8

5일차 플러스 계산 연습 170~171쪽

1 13 **2** 42 **3** 24
4 21 **5** 13 **6** 20
7 6 **8** 12 **9** 20
10 9 **11** 70 **12** 43
13 19 **14** 3, 108, 108, 34 ; 34
15 44, 176, 176, 40 ; 40

11 (전체 기록의 합)=75×4=300(회)
  ➡ (다온이의 기록)=300−(80+72+78)
         =70(회)

12 (전체 기록의 합)=43×4=172(회)
  ➡ (호중이의 기록)=172−(40+36+53)
         =43(회)

13 (전체 기록의 합)=27×4=108 (m)
  ➡ (예진이의 기록)=108−(25+34+30)
         =19 (m)

평가 SPEED 연산력 TEST 172~173쪽

❶ 23 ❷ 17 ❸ 28
❹ 32 ❺ 34 ❻ 18
❼ 19 ❽ 19 ❾ 15
❿ 38 ⓫ > ⓬ =
⓭ > ⓮ > ⓯ 7
⓰ 16 ⓱ 27 ⓲ 61
⓳ 12 ⓴ 18

⓳ (자료의 값을 모두 더한 수)=13×5=65
  ➡ ■=65−(17+15+6+15)=12

⓴ (자료의 값을 모두 더한 수)=12×5=60
  ➡ ■=60−(8+13+15+6)=18

특강 문장제 문제 도전하기 174~177쪽

1 6 ; 6 ; 6   **2** 7 ; 7 ; 7
3 > ; 29, 25 ; 현호네   **4** 10, 12, 16, 4, 13
5 40, 29, 37, 35, 5, 35
6 4, 23, 3, 25, 민혁
7 12 ; 135, 135, 12 ; 12
8 12 ; 52, 52, 15, 12 ; 12
9 64 ; 340, 340, 64 ; 64
10 4, 380, 380, 118, 95
11 5, 195, 195, 43, 38, 41
12 5, 1650, 1650, 230, 420, 250

3 (현호네 가족의 나이의 평균)
  =(43+45+12+16)÷4=116÷4=29(세)
  (미주네 가족의 나이의 평균)
  =(42+45+18+12+8)÷5=125÷5=25(세)
  ➡ 29세>25세

5 (지수네 모둠의 몸무게의 평균)
  =(34+40+29+37+35)÷5
  =175÷5=35 (kg)

특강 창의·융합·코딩·도전하기 178~179쪽

창의**1** 5, 5, 4, 6 ; 가은이네
창의**2** 36
코딩**3** 15, 17 ; 13, 11

창의**1** 제기차기 기록의 평균이 5개<6개이므로 가은이
  네 모둠이 더 잘했다고 볼 수 있습니다.
창의**2** ㉠=(26+38+31+49)÷4=144÷4=36
코딩**3** (네 수의 평균)=(13+11+15+17)÷4
        =56÷4=14
  ➡ 평균보다 큰 수: 15, 17
     평균보다 작은 수: 13, 11

✽ 개념 ⃝✕ 퀴즈 정답

기본기와 서술형을 한 번에, 확실하게
수학 자신감은 덤으로!

수학리더 시리즈 (초1~6 / 학기용)

[연산]

[개념]

[기본]

[유형]

[기본＋응용]

[응용·심화]

[최상위]

(*예비초~초6/총14단계)

(*초3~6)

시험 대비교재

●**올백 전과목 단원평가**   1~6학년/학기별
(1학기는 2~6학년)

●**HME 수학 학력평가**   1~6학년/상·하반기용

●**HME 국어 학력평가**   1~6학년

논술·한자교재

●**YES 논술**   1~6학년/총 24권

●**천재 NEW 한자능력검정시험 자격증 한번에 따기**   8~5급(총 7권) / 4급~3급(총 2권)

영어교재

●**READ ME**
– Yellow 1~3   2~4학년(총 3권)
– Red 1~3   4~6학년(총 3권)

●**Listening Pop**   Level 1~3

●**Grammar, ZAP!**
– 입문   1, 2단계
– 기본   1~4단계
– 심화   1~4단계

●**Grammar Tab**   총 2권

●**Let's Go to the English World!**
– Conversation   1~5단계, 단계별 3권
– Phonics   총 4권

예비중 대비교재

●**천재 신입생 시리즈**   수학 / 영어

●**천재 반편성 배치고사 기출 & 모의고사**

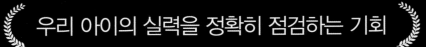

우리 아이의 실력을 정확히 점검하는 기회

40년의 역사
전국 초·중학생 213만 명의 선택

HME 학력평가

해법수학 · 해법국어

응시 학년	수학 ┃ 초등 1학년 ~ 중학 3학년
	국어 ┃ 초등 1학년 ~ 초등 6학년

응시 횟수	수학 ┃ 연 2회 (6월 / 11월)
	국어 ┃ 연 1회 (11월)

주최 **천재교육** ┃ 주관 **한국학력평가 인증연구소** ┃ 후원 **서울교육대학교**

*응시 날짜는 변동될 수 있으며, 더 자세한 내용은 HME 홈페이지에서 확인 바랍니다.